小品文大阅读

每日一读

MEIRI YIDU

可爱的四季

陈启淦—编著

青岛出版社
QINGDAO PUBLISHING HOUSE

每天阅读十分钟，

语文学习真轻松！

为什么我对语文没有兴趣？为什么我看不进课外阅读书？为什么我阅读题不会做、作文也写不好？——如果你在为这些问题而烦恼，那就跟随这套书，加入快乐的阅读之旅吧！

"每日一读"系列图书（注音版）包括《风的故事》《雪花的模样》《会飞翔的鱼》《可爱的四季》四册。书中有温馨动人的童话，有发人深思的寓言，有经典的历史故事，还有很励志的名人故事、有趣的自然小百科，更有令人大开眼界的异国风情介绍，还有幽默诙谐、朗朗上口的童诗……只要每天阅读一点点，坚持下来，积少成多，你的阅读量和文字量就会节节攀升！

从现在开始，踏入精彩纷呈的阅读之旅吧！让生动有趣的精选文章和充满童真的可爱插图，帮你提高理解力、拓展知识面，最终爱上阅读，爱上写作！

精选文章

教育专家精编选的50多篇小文章，题材丰富，生动有趣，通俗易懂，让你喜欢读、愿意读、主动读！

可爱的插图

洋溢着童真童趣的插图，与故事完美地融合在一起，为你营造了一个图文并茂、生动活泼的阅读氛围。

趣味阅读题

从每篇文章中提炼出几道阅读理解题，帮助你更好地读懂文章，锻炼你的阅读理解能力和分析问题的能力。

语文动动脑

根据文意，每篇文章后面都附有识字造句、趣味填空、图文连连看、成语小知识、小小文学家等练习板块，形式活泼多样，有效拓展语文知识面。

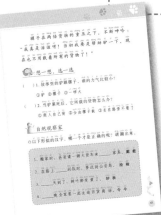

全文注音

为了方便大家阅读，全书的文章与练习都加了注音哦，让你不仅能更流畅地阅读文章，还能学习更多生字、生词。

目录

1 tóng shī liǎng shǒu
童诗两首

童诗吟诵

xiǎo xuě ren
小雪人

xiǎo xuě rén　　zhēn kě ài
小雪人，真可爱，

pàng dū dū　　shēn cái ǎi
胖嘟嘟，身材矮，

yǎn jing dà dà pí fū bái
眼睛大大皮肤白。

xuě huā piāo　　bú pà mái
雪花飘，不怕埋，

hán fēng zhōng　　xiào kǒu kāi
寒风中，笑口开，

tiān qì yuè lěng wǒ yuè ài
天气越冷我越爱。

wǒ bú pà　　běi fēng lái
我不怕，北风来，

zhǐ dān xīn　　tài yang shài
只担心，太阳晒，

tài yang yì lái jiù shài huài
太阳一来就晒坏。

小小雨滴

小小雨滴，

非常顽皮，

偷偷离家出走，

跑到地上游戏。

小小雨滴，

飘落大地，

落到沙漠无踪影，

落到小河笑嘻嘻。

小小雨滴，

好想母亲，

好心的太阳公公，

快快送他回家去。

◎你知道吗？空中积聚的水汽变成雨水，降落大地后，有一部分雨水很快就会蒸发，重新回到空中；另一部分则落入江流，汇入大海，最后又被蒸发回空中。这就是雨滴的旅程。

想一想，选一选

( ) 1. xiǎo xuě rén zuì xǐ huan shén me yàng de tiān qì ne
小雪人最喜欢什么样的天气呢？

　　　　dà qíng tiān　　　hán lěng de dōng tiān　　xià yǔ tiān
　　①大晴天　②寒冷的冬天　③下雨天

( ) 2. xiǎo xuě rén zuì pà shén me
小雪人最怕什么？

　　　　běi fēng chuī　　　xuě huā mái　　　tài yang shài
　　①北风吹　②雪花埋　③太阳晒

( ) 3. nǎ jiàn shì yào zài xià xuě shí cái néng zuò
哪件事要在下雪时才能做？

　　　　duī xuě rén　　　shài tài yang　　chàng gē
　　①堆雪人　②晒太阳　③唱歌

( ) 4. wán pí de xiǎo yǔ dī lí jiā chū zǒu qù nǎ li le
顽皮的小雨滴离家出走去哪里了？

　　　　wài tài kōng　　　zài kōng zhōng liú làng　　dào dì shang yóu xì
　　①外太空　②在空中流浪　③到地上游戏

( ) 5. xiǎo yǔ dī luò dào nǎ li jiù bú jiàn zōng yǐng le ne
小雨滴落到哪里就不见踪影了呢？

　　　　shā mò　　　shí kēng　　　wū dǐng
　　①沙漠　②石坑　③屋顶

( ) 6. wán pí de xiǎo yǔ dī xiǎng jiā le　　shì shéi sòng tā huí qu de ne
顽皮的小雨滴想家了，是谁送他回去的呢？

　　　　jiě jie　　　dà hǎi shū shu　　tài yang gōng gong
　　①姐姐　②大海叔叔　③太阳公公

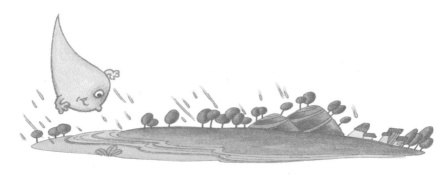

 语文动动脑

xiě chu zhèng què de hàn zì
◎写出正确的汉字。

1. 雨天过后，大地像换了件新（　　　）。
yǔ tiān guò hòu　　dà dì xiàng huàn le jiàn xīn　yī

2. 冬天（　　　）太阳很舒服。
dōng tiān　　shài　　tài yang hěn shū fu

3. 过马路要小（　　　）。
guò mǎ lù yào xiǎo　　xīn

4. 爸爸堆了一个可爱的（　　　）人。
bà ba duī le yí gè kě ài de　　xuě　rén

5. 弟弟的（　　　）肤又白又嫩。
dì di de　　pí　　fū yòu bái yòu nèn

 小小文学家

xiào yǒu hěn duō zhǒng lèi xíng　　yǐ xià cí yǔ zhōng　　nǎ jǐ gè shì yòng lái xíng róng
◎笑有很多种类型，以下词语中，哪几个是用来形容

xiào shēng de　　qǐng quān chu lai
笑声的？请圈出来。

hā hā　　xī xī　　wū wū　　hē hē　　wā wā
①哈哈　②嘻嘻　③呜呜　④呵呵　⑤哇哇

2 苏轼买屋

名人故事

苏轼是宋朝的文学家。他曾经买下一栋宅院，因为房子需要整修，所以还没搬进去住。

有一天晚上他出去散步，发现路边有一位老太太在伤心地哭泣。

苏轼上前询问，老太太一把鼻涕一把泪地说："我有一个不孝的儿子，把家里唯一的祖宅卖掉了，如今我没地方可住，怎么能不伤心呢？"

苏轼很同情她的遭遇，仔细追问才知道，原来老太太所说的宅院就是他新买的那一栋。

苏轼马上从口袋里拿出房契，当着老太太的面把它烧了，说："老太太，我不要您的房子，您也不用还我

_{qián}　_{qǐng nín bān huí qu zhù ba}
钱，请您搬回去住吧！"

　　_{yóu cǐ kě jiàn}　_{sū shì bù jǐn yōng yǒu fēi fán de wén xué}　_{yì}
　　由此可见，苏轼不仅拥有非凡的文学、艺
_{shù zào yì}　_{gèng yōng yǒu gāo shàng de rén gé}
术造诣，更拥有高尚的人格。

 阅读思考站

（　）1._{lǎo tài tai wèi shén me zài lù biān kū qì}
老太太为什么在路边哭泣？

　　_{wéi yī de zǔ zhái bèi mài diào le}　_{diē dǎo le}　_{fáng zi mài bú diào}
　　①唯一的祖宅被卖掉了 ②跌倒了 ③房子卖不掉

（　）2._{sū shì duì lǎo tài tai zuò le shén me shì}
苏轼对老太太做了什么事？

　　_{ràng lǎo tài tai huán qián}　_{qǐng lǎo tài tai gēn tā yì qǐ zhù}
　　①让老太太还钱 ②请老太太跟他一起住

　　_{bǎ fáng zi huán gěi lǎo tài tai}
　　③把房子还给老太太

 语文动动脑

◎_{qǐng tián rù hé shì de liàng cí}
请填入合适的量词。

_{bǎ}　_{dòng}　_{kē}　_{fù}　_{zhāng}　_{wèi}　_{duǒ}　_{běn}
把　栋　棵　副　张　位　朵　本

_{yī}　　　　_{dà lóu gōng yù}　　_{yī}　　　_{xiǎo kǎ piàn}
1.一（　　　）大楼公寓。2.一（　　　）小卡片。
_{yī}　　　_{xiān sheng}　　　_{yī}　　　_{shǒu tào}
3.一（　　　）先生。　4.一（　　　）手套。

3 吹泡泡
chuī pào pao

童诗吟诵

chuī pào pao
吹泡泡，

pào pao fēi
泡泡飞，

yáng guāng yí zhào
阳光一照，

cǎi hóng xiàn
彩虹现。

hóng chéng huáng lǜ lán diàn zǐ
红橙黄绿蓝靛紫，

wǔ cǎi bīn fēn shàng qīng tiān
五彩缤纷上青天。

chuī pào pao
吹泡泡，

pào pao fēi
泡泡飞，

xiǎo shǒu yì shēn
小手一伸，

shēn tǐ zhuǎn
身体转。

shàng xià zuǒ yòu rèn yì piāo
上下左右任意飘，

mèng huàn pào pao rào shēn biān
梦幻泡泡绕身边。

chuī pào pao
吹泡泡，

pào pao fēi
泡泡飞，

fēng er yì chuī
风儿一吹，

sì chù sàn
四处散。

yī èr sān sì wǔ liù qī
一二三四五六七，

bō bō bō bō dōu bú jiàn
啵啵啵啵都不见。

想一想，选一选

pào pao zài yáng guāng xià shì shén me yán sè de
(　　) 1. 泡泡在阳光下是什么颜色的？

hóng sè　　huáng sè　　　qī cǎi yán sè
①红色 ②黄色 ③七彩颜色

chuī chu lai de pào pao hòu lái zěn me yàng le
(　　) 2. 吹出来的泡泡后来怎么样了？

tíng zài shù shang　　jù chéng yì duī　　quán dōu pò diào bú jiàn le
①停在树上 ②聚成一堆 ③全都破掉不见了

 ## 语文动动脑

zì jǐ dòng shǒu zuò chuī pào pao guàn
◎ 自己动手做吹泡泡罐。

zhǔn bèi suǒ xū de cái liào
1. 准备所需的材料：

yí gè kāi kǒu jiào dà de bēi zi　　　yí duàn tiě sī
①一个开口较大的杯子。 ②一段铁丝。

xǐ yī fěn huò xǐ jié jīng　　　kě yǐ chǎn shēng pào pao de dōng xi
③洗衣粉或洗洁精。（可以产生泡泡的东西）

wǎng guàn zi li dào yì diǎn er xǐ yī fěn huò xǐ jié jīng　jiā shuǐ jiǎo yì
2. 往罐子里倒一点儿洗衣粉或洗洁精，加水搅一

jiǎo　　nòng chu pào pao
搅，弄出泡泡。

jiāng tiě sī zhé chéng yí gè yuán quān
3. 将铁丝折成一个圆圈。

jiāng tiě sī quān zhàn guo pào pao shuǐ hòu zài ná chu lai　　dāng tiě sī quān chū
4. 将铁丝圈蘸过泡泡水后再拿出来，当铁丝圈出

xiàn yì céng tòu míng bó mó shí　　jiù kě yǐ chuī pào pao le
现一层透明薄膜时，就可以吹泡泡了。

4 小雨点
xiǎo yǔ diǎn

童诗吟诵

bù xiǎng zài tiān kōng dào chù liú làng
不想在天空到处流浪，

xiǎo yǔ diǎn huái niàn dì miàn shang de péng you
小雨点怀念地面上的朋友。

zài yí gè yīn àn de tiān qì li
在一个阴暗的天气里，

tā gēn yí dà qún huǒ bàn
他跟一大群伙伴，

huǎn huǎn piāo xia
缓缓飘下。

yǒu de wèi lù páng de xíng dào shù jiāo jiao shuǐ
有的为路旁的行道树浇浇水，

yǒu de wèi lù lù de qīng shān jiě jie kě
有的为绿绿的青山解解渴；

yǒu de wèi dì shang de cǎo er rùn run hóu
有的为地上的草儿润润喉，

yǒu de wèi huī sè de fáng zi xǐ xi zǎo
有的为灰色的房子洗洗澡。

tā gěi wǒ men dài lái le jīng xǐ
他给我们带来了惊喜，

tā gěi shì jiè dài lái le qīng xīn
他给世界带来了清新！

 想一想，选一选

( ) 1. xiǎo yǔ diǎn bāng lù páng de xíng dào shù zuò le shén me
小雨点 帮路旁的行道树做了什么？

　　① jiě kě 解渴　② rùn hóu 润喉　③ jiāo shuǐ 浇水

( ) 2. xiǎo yǔ diǎn hái méi luò dào dì miàn zhī qián zài tiān kōng zuò shén me
小雨点还没落到地面之前，在天空做什么？

　　① liú làng 流浪　② gōng zuò 工作　③ fā dāi 发呆

( ) 3. rén men duì xiǎo yǔ diǎn yǒu shén me qíng gǎn
人们对小雨点有什么情感？

　　① hěn tǎo yàn 很讨厌　② hěn xǐ huan 很喜欢　③ hěn huái niàn 很怀念

小小文学家

◎ xiǎo yǔ diǎn huì wèi tā de péng you zuò hěn duō shì xǐ zǎo jiě kě rùn hóu
小雨点会为他的朋友做很多事：洗澡、解渴、润喉……

nǐ huì wèi nǐ de jiā rén hé péng you zuò shén me ne
你会为你的家人和朋友做什么呢？

1. wǒ huì wèi bà ba
我会为爸爸_____。

2. wǒ huì wèi mā ma
我会为妈妈_____。

3. wǒ huì wèi lǎo shī
我会为老师_____。

4. wǒ huì wèi tóng xué
我会为同学_____。

_____。

5 爱搓脚的苍蝇

自然百科

人类是用舌头去感知食物味道的，因为我们的味觉感受器是舌头，而苍蝇的味觉感受器在脚上。也就是说，我们要知道食物好不好吃，会把东西放进嘴巴里；而苍蝇只要用脚一沾，就可以分辨食物的味道了。

每当它们停下来时，脚总是不断地动来动去，这儿碰碰，那儿摸摸，就是要寻找它们喜欢的味道。因为苍蝇的脚有这种重要功能，它们时常会搓一搓脚，既能把味觉感受器上的脏东西清理干净，又可以除去旧的味道，再继续尝新。

当我们看到苍蝇停下来时，可以仔细观

chá yí huì er　　　　tā zǒng shì zǒu lái zǒu qù de　　　yì biān zǒu yì biān cuō
察一会儿，它总是走来走去的，一边走一边搓

jiǎo　　yí fù hěn máng lù de yàng zi ne
脚，一副很忙碌的样子呢！

想一想，选一选

cāng ying yòng shén me lái fēn biàn wèi dao
（　）1. 苍蝇用什么来分辨味道？

shé tou　　　chì bǎng　　jiǎo
①舌头　②翅膀　③脚

cāng ying jiǎo de gōng néng jiù xiàng wǒ men rén de
（　）2. 苍蝇脚的功能就像我们人的_____。

yǎn jing　　　ěr duo　　shé tou
①眼睛　②耳朵　③舌头

cāng ying dōng mō xī pèng shì wèi le shén me
（　）3. 苍蝇东摸西碰是为了什么？

jiǎn féi　　zhǎo xǐ huan de dōng xi　　wú liáo
①减肥　②找喜欢的东西　③无聊

 小小文学家

zhào lì zi xiě duǎn jù
◎照例子写短句。

lái　　　　　　　qù
zǒu lái zǒu qù
1. 走来走去　①_____来_____去

lái　　　　　　　qù
②_____来_____去

hǎo bù hǎo chī　　hǎo bù hǎo
2. 好不好吃　①好不好_____

hǎo bù hǎo
②好不好_____

6 领带的由来

知识宝库

从前，英国的成年男子都留着一大把胡子。每次吃东西时，他们都会把嘴巴和胡子弄得满是食物的残渣或酱汁。如果用餐结束后直接用衣袖擦嘴，不仅会让衣袖变得又脏又不雅观，还会给洗衣服的妇女带来很大的麻烦。

聪明的英国妇女想到一个办法：在男子的衣领上缝一块布，让他们在饭后用这块布擦嘴。

刚开始，男人们还是习惯用袖子擦嘴。于是，妇女又在袖口钉上几个小石块。这样一来，他们再用袖口擦嘴时，就会被小石块弄破嘴皮，或者扯到胡子。

nán rén men zhè cái jiàn jiàn xí guàn yòng lǐng kǒu xià de bù lái cā zuǐ
男人们这才渐渐习惯用领口下的布来擦嘴。

lǐng kǒu xià de bù hòu lái jiù yǎn biàn chéng zhuāng shì yī fu de
领口下的布后来就演变成 装 饰衣服的

lǐng dài le
"领带"了。

 想一想，选一选

cóng qián   yīng guó nán zǐ chī fàn shí   shí wù cán zhā dōu huì zhān dào nǎ li
（ ）1.从前，英国男子吃饭时，食物残渣都会沾到哪里？

tóu dǐng   hú zi   xié zi
①头顶　②胡子　③鞋子

cóng qián   yīng guó nán zǐ yòng shén me cā zuǐ
（ ）2.从前，英国男子用 什么擦嘴？

xiù zi   zhuō jīn   kù zi
①袖子　②桌巾　③裤子

xiàn dài de lǐng dài yǒu shén me gōng yòng
（ ）3.现代的领带有什么功用？

cā zuǐ   zhuāng shì yī fu   cā shǒu
①擦嘴　②装 饰衣服　③擦手

 小小文学家

jiāng xià liè sàn luàn de jù zi chóng xīn pái hǎo shùn xù
◎将下列散乱的句子重新排好顺序。

---

huì ràng yī xiù biàn de hěn zāng   chī wán fàn hòu   yòng xiù zi cā zuǐ
1.①会让衣袖变得很脏　②吃完饭后　③用袖子擦嘴

_____

guò mǎ lù qián   kě yǐ jiǎn shǎo wēi xiǎn   yào tíng xia lai kàn yí kàn
2.①过马路前　②可以减少危险　③要停下来看一看

_____

7 小老鼠上灯台

xiǎo lǎo shǔ shàng dēng tái
小老鼠上灯台

童诗吟诵

xiǎo lǎo shǔ　shàng dēng tái
小老鼠，上灯台，
tōu yóu chī　xià bù lái
偷油吃，下不来，
jí de liǎng yǎn zhí fā dāi
急得两眼直发呆。

xiǎo lǎo shǔ　shàng dēng tái
小老鼠，上灯台，
tōu yóu chī　xià bù lái
偷油吃，下不来，
jiào mā ma　mā bù lái
叫妈妈，妈不来，
jī li gū lū gǔn xia lai
叽哩咕噜滚下来。

xiǎo lǎo shǔ　gǔn xia lai
小老鼠，滚下来，
zhuàng qiáng bì　jiào āi āi
撞墙壁，叫哀哀，

yǎn mào jīn xīng zhēng bù kāi
眼冒金星睁不开，
sì zhī wú lì qǐ bù lái
四肢无力起不来。

xiǎo lǎo shǔ　gǔn xia lai
小老鼠，滚下来，
zhuàng qiáng bì　jiào āi āi
撞墙壁，叫哀哀，
chuài qiáng yì jiǎo shuō qiáng huài
踹墙一脚说墙坏，
qiáng bì huì tòng cái qí guài
墙壁会痛才奇怪！

想一想，选一选

xiǎo lǎo shǔ wèi shén me huì pá shang dēng tái

（　　）1. 小老鼠为什么会爬上灯台？

tōu yóu chī　　duǒ bì māo mī　　pà mā ma mà

①偷油吃　②躲避猫咪　③怕妈妈骂

zuì hòu xiǎo lǎo shǔ shì zěn me xià dēng tái de

（　　）2. 最后小老鼠是怎么下灯台的？

zì jǐ gǔn xia lai　　mā ma bào tā xià lai　　zǒu lóu tī

①自己滚下来　②妈妈抱它下来　③走楼梯

wèi shén me huì shuō　qiáng bì huì tòng cái qí guài

（　　）3. 为什么会说"墙壁会痛才奇怪"？

qiáng bì bú pà xiǎo lǎo shǔ　　qiáng bì méi you shēng mìng　bú huì tòng

①墙壁不怕小老鼠　②墙壁没有生命，不会痛

qiáng bì chuān zhe kuī jiǎ

③墙壁穿着盔甲

语文动动脑

rú guǒ nǐ shì xiǎo lǎo shǔ　　nǐ huì yòng shén me fāng fǎ xià dēng tái　　qǐng nǐ huà chu lai

◎如果你是小老鼠，你会用什么方法下灯台？请你画出来。

8 聪明的乌鸦
cōng míng de wū yā

童话寓言

有一只乌鸦飞累了，想停下来喝水。它找哇
找，却一直找不到水池与小河。当它渴到几乎快
撑不下去的时候，终于发现了一个装有水的瓶
子。

乌鸦兴奋极了，但没多久又泄气了。因为
瓶口又细又长，乌鸦短短的嘴根本碰不到里面的
水。眼前有水却喝不
到，乌鸦很失望，只
能瞪着瓶子发呆。突
然，它灵光一现，想
到了一个好方法。

乌鸦找来许多小
石子，把它们一个一
个地丢进瓶子里，瓶

^{zi li de shuǐ yuè lái yuè gāo} ^{yuè lái yuè gāo} ^{zhí dào mǎn dào píng kǒu}
子里的水越来越高、越来越高，直到满到瓶口。

^{zhè yàng yì lái} ^{wū yā jiù kě yǐ qīng sōng de hē dào shuǐ la}
这样一来，乌鸦就可以轻松地喝到水啦！

^{wū yā néng gòu lì yòng shí tou de tǐ jī} ^{ràng shuǐ zhú jiàn shēng gāo}
乌鸦能够利用石头的体积，让水逐渐升高，

^{shì bú shì hěn cōng ming a}
是不是很聪明啊？

 想一想，选一选

^{wū yā kuài kě sǐ de shí hou} ^{zhǎo dào le shén me dōng xi}
（　　）1.乌鸦快渴死的时候，找到了什么东西？

^{dà shuǐ tǒng} ^{liǎn pén} ^{píng zi}
①大水桶　②脸盆　③瓶子

^{hòu lái wū yā bǎ shén me diū jin píng zi li} ^{ràng shuǐ wèi shēng gāo de}
（　　）2.后来乌鸦把什么丢进瓶子里，让水位升高的？

^{yǔ máo} ^{xiǎo shí zǐ} ^{ní tǔ}
①羽毛　②小石子　③泥土

 语文动动脑

^{jiāng hé shì de zì tián dào kuò hào li}
◎将合适的字填到括号里。

^{zhǎo} 找	^{kě} 渴	^{hē} 喝	^{wǒ} 我

1.口（^{kǒu}　　）　　2.（　　）水^{shuǐ}

3.（　　）东西^{dōng xi}　　4.（　　）很好^{hěn hǎo}

9 传说中的巨蛇

历史故事

艾子是春秋战国时期的学者，个性沉稳，说话时讲求证据。

有一天，他的朋友毛空来看他，告诉艾子一些奇闻趣事："艾子，你知道吗？这世界真是无奇不有哇，竟然有一条十丈宽三十丈长的巨蛇！"

艾子一脸怀疑，摇摇头说："怎么可能呢？"

毛空说："可能是我搞错了，好像是二十丈长，十丈宽！"但艾子还是不相信。

毛空又改口说："那么就十丈长，十丈宽吧！"

艾子瞪着他，没好气地问："你自己想想看，世界上会有一条蛇是方形的吗？"

毛空这才不好意思地说："此事并非我亲眼所见，我也是听别人说的！"

ài zǐ yáo yao tóu　　　　méi jīng guò zhèng shí de chuán wén　zěn me néng
艾子摇摇头："没经过证实的传闻，怎么能

qīng yì tīng xìn ne
轻易听信呢？"

 想一想，选一选

ài zǐ de gè xìng rú hé
(　　) 1. 艾子的个性如何？

jiǎng qiú zhèng jù　　　rén jia shuō shén me dōu xìn　　rén jia shuō shén me dōu bú xìn
①讲求证据 ②人家说什么都信 ③人家说什么都不信

ài zǐ de péng you máo kōng　　tā de gè xìng rú hé
(　　) 2. 艾子的朋友毛空，他的个性如何？

jiǎng qiú zhèng jù　　　rén jia shuō shén me dōu xìn　　rén jia shuō shén me dōu bú xìn
①讲求证据 ②人家说什么都信 ③人家说什么都不信

duì dài méi you jīng guò chá zhèng de chuán wén　　nǐ yīng gāi zěn me zuò
(　　) 3. 对待没有经过查证的传闻，你应该怎么做？

bù néng tīng xìn　　yǒu qù de jiù kě yǐ xiāng xìn　　quán dōu xiāng xìn
①不能听信 ②有趣的就可以相信 ③全都相信

 语文动动脑

zhào lì zi xiě duǎn jù
◎ 照 例子写短句。

yáo yao tóu
1. 摇摇头。

①(　　　　　　　　　)。 ②(　　　　　　　　　)。

yì liǎn huái yí
2. 一脸怀疑。

yì liǎn　　　　　　　　　　　yì liǎn
①一脸(　　　　　　)。 ②一脸(　　　　　　)。

10 狐狸和乌鸦
hú li hé wū yā

童话寓言

有一只乌鸦偷了一块肉，站在高高的树上，正准备好好地享用。

这时，一只狐狸经过树下。他看到乌鸦嘴里衔着一块肉，馋得口水直流，一心想把那块肉骗来。

诡计多端的狐狸故意说："哟，这只乌鸦的羽毛黑得发亮，真是美丽又神气！就是不知声音如何。要是声音也和它的外貌一样出色，可算是鸟中之后了！"

乌鸦听了很得意，便急着展示自己的歌喉，证明它是鸟中之后。可是刚一开口，肉就掉下去了。

狐狸很高兴地叼起

le　nà kuài ròu　　xiào zhe duì wū yā shuō　　　nǐ de shēng yīn hái bú cuò
了那块肉，笑着对乌鸦说："你的声音还不错，
zhǐ kě xī bú gòu cōng ming a
只可惜不够聪明啊！"

想一想，选一选

wū yā tīng dào hú li de zàn měi hòu　jué de
（　）1.乌鸦听到狐狸的赞美后，觉得＿＿＿＿。

hěn shēng qì　　hěn dé yì　　méi fǎn yìng
①很生气　②很得意　③没反应

hú li rèn wéi wū yā
（　）2.狐狸认为乌鸦＿＿＿＿。

bù tān chī　　bù cōng ming　　bù yǒu shàn
①不贪吃　②不聪明　③不友善

 语文动动脑

qǐng bāng xià liè cí yǔ zhǎo chu zhèng què de jiě shì
◎请帮下列词语找出正确的解释。

guǐ jì
1.诡计
chēng zàn bié ren de cháng chù
①称赞别人的长处

chū sè
2.出色
yòng zuǐ hán zhe dōng xi
②用嘴含着东西

shén qi
3.神气
jiān zhà de jì móu
③奸诈的计谋

xián zhe
4.衔着
yǒu ài hé shàn liáng
④友爱和善良

zàn měi
5.赞美
dé yì jiāo ào de yàng zi
⑤得意骄傲的样子

yǒu shàn
6.友善
jié chū
⑥杰出

11 放风筝
fàng fēng zheng

生活小品

xiǎo péng yǒu　　nǐ huì zuò fēng zheng ma　　rú guǒ bú huì　　nà jiù
小朋友，你会做风筝吗？如果不会，那就

ràng wǒ lái jiāo jiao nǐ
让我来教教你：

yī　　xiān bǎ yì zhāng bào zhǐ jiǎn chéng líng xíng　　zuò wéi fēng zheng de
一、先把一张报纸剪成菱形，作为风筝的

zhǔ tǐ　　èr　　jiǎn liǎng tiáo duǎn duǎn de zhǐ tiáo　　zài zhǔ tǐ zuǒ yòu liǎng cè
主体。二、剪两条短短的纸条，在主体左右两侧

gè zhān yì tiáo　　zài jiǎn liǎng tiáo cháng zhǐ tiáo　　zhān zài zhǔ tǐ hòu bù dàng
各粘一条；再剪两条长纸条，粘在主体后部当

zuò wěi ba　　sān　　jiāng liǎng gēn zhú qiān jiāo chā chéng shí zì xíng　　gù dìng
作尾巴。三、将两根竹签交叉成十字形，固定

zài líng xíng zhǔ tǐ shang zuò gǔ jià　　sì　　zài gǔ jià shang bǎng shang zú gòu
在菱形主体上做骨架。四、在骨架上绑上足够

cháng de diào yú xiàn
长的钓鱼线。

hěn kuài　　yí gè jiǎn dān de fēng zheng jiù wán chéng le
很快，一个简单的风筝就完成了。

kuài dài zhe fēng zheng dào jiāo wài qù ba　　chèn yí zhèn fēng chuī lai shí
快带着风筝到郊外去吧！趁一阵风吹来时，

fàng kāi nǐ shǒu zhōng de fēng zheng　　ràng tā chéng zhe fēng wǎng shàng fēi
放开你手中的风筝，让它乘着风往上飞。

ruò bù xiǎo xīn ràng fēng zheng zhèng tuō le nǐ de shǒu　　fēi de yuǎn yuǎn
若不小心让风筝挣脱了你的手，飞得远远

de yě bié nán guò　　jiù dàng fán nǎo dōu suí fēng zheng yuǎn qù le　　nǐ zhī dao
的也别难过，就当烦恼都随风筝远去了。你知道

ma　　gǔ rén fàng fēng zheng　　jiù shì xiǎng bǎ suǒ yǒu bù yú kuài de shì　　fàng
吗？古人放风筝，就是想把所有不愉快的事"放

diào

掉"。有时他们会有意剪断风筝线，让烦恼随

zhe fēng zheng fēi xiàng yuǎn fāng　　zhè yàng yì xiǎng　　shì bú shì hěn yǒu yì si

着风筝飞向远方。这样一想，是不是很有意思

ne

呢？

 想一想，选一选

zài fēng zheng de zhì zuò guò chéng zhōng　　zhú qiān shì yòng lái zuò shén me de

（　）1. 在风筝的制作过程中，竹签是用来做什么的？

dàng gǔ jià　　　zhuāng shì　　　gǎn wén zi

①当骨架　②装饰　③赶蚊子

fēng zheng xǔ yào jiè zhù shén me　lì liang cái néng fēi shang tiān

（　）2. 风筝需要借助什么力量才能飞上天？

yǔ　　　fēng　　　tài yang

①雨　②风　③太阳

gǔ rén fàng fēng zheng　　yǒu shén me tè bié de yòng yì

（　）3. 古人放风筝，有什么特别的用意？

bǎ bù yú kuài de shì fàng diào　　guān chá tiān qì　　qìng zhù xīn nián

①把不愉快的事放掉　②观察天气　③庆祝新年

语文动动脑

qǐng xuǎn zé zhèng què de liàng cí tián rù kuò hào zhōng

◎请选择正确的量词填入括号中。

yī　　kē　bèn　piàn　zuò yè bù

1. 一　①颗 ②本 ③片　作业簿。（　　）

yī　　gè　duǒ　jiàn　jiǎn dān de fēng zheng

2. 一　①个 ②朵 ③件　简单的风筝。（　　）

yī　　zhèn　xià　gè　róu róu de wēi fēng

3. 一　①阵 ②下 ③个　柔柔的微风。（　　）

12 小小萤火虫
xiǎo xiǎo yíng huǒ chóng

童诗吟诵

xiǎo xiǎo yíng huǒ chóng
小小萤火虫，

fēi dào xī
飞到西，

fēi dào dōng
飞到东；

zhè biān liàng
这边亮，

nà biān liàng
那边亮。

hǎo xiàng yī zhǎn xiǎo dēng long
好像一盏小灯笼。

xiǎo xiǎo yíng huǒ chóng
小小萤火虫，

tí zhe dēng long qù xún luó
提着灯笼去巡逻，

yè kōng hēi qī qī
夜空黑漆漆，

hǎo xiàng pō le mò
好像泼了墨。

kě lián xiǎo mǎ yǐ
可怜小蚂蚁，

nǐ zài kū shén me
你在哭什么？

bié dān xīn
别担心，

gēn zhe wǒ
跟着我，

wǒ dài nǐ huí mǎ yǐ wō
我带你回蚂蚁窝。

想一想，选一选

yíng huǒ chóng róng yì ràng rén xiǎng dào shén me
（　）1.萤火虫 容易让人想到什么？

dēng long　　cài lán　　xiǎo jīng líng
　　①灯笼　②菜篮　③小精灵

zài shén me shí hou cái néng qīng chu de kàn dào yíng huǒ chóng fā guāng
（　）2.在什么时候才能 清楚地看到萤火 虫发光？

zǎo shang　　zhōng wǔ　　wǎn shang
　　①早上　②中午　③晚 上

 语文动动脑

fā huī nǐ de xiǎng xiàng lì　xiǎng xiang xià liè dòng wù xiàng shén me　　lián yì lián
◎发挥你的想 象力，想 想下列动物像什么？连一连。

yíng huǒ chóng 1.萤火虫	bó shì ①博士
wū guī 2.乌龟	fǎng zhī gōng rén ②纺织工人
cháng jǐng lù 3.长颈鹿	cǎo shéng ③草绳
shé 4.蛇	shí tou ④石头
xiǎo niǎo 5.小鸟	huá tī ⑤滑梯
zhī zhū 6.蜘蛛	yīn yuè jiā ⑥音乐家
māo tóu yīng 7.猫头鹰	yī shēng ⑦医生
zhuó mù niǎo 8.啄木鸟	xiǎo dēng long ⑧小灯笼

13 陶侃的故事

名人故事

陶侃，晋明帝时期的人，官拜征西大将军。

陶侃对自己的要求非常严格，认为一个人太清闲，就容易变懒、变坏，所以他每天早上总要把屋内的砖块搬出去，晚上再搬回来。

陶侃在广州当地方官的时候，有一次在路上看到一个人手里拿着一把还没成熟的稻谷。

他好奇地问："你拿这些稻谷做什么？"

"这是我路过一片农田时看到的，就随手掐下来玩儿！"那人回答。

陶侃看他一副游手好闲的模样，当场大怒，他呵斥道："你不但不工作，还拿别人辛苦栽种的稻谷当儿戏，真是可恶！"说完，便命令侍卫重重地打了那人五十大板，以示惩戒。

可见，陶侃珍惜百姓的劳动成果，不仅自

shēn qín miǎn bú xiè　　　ér qiě duì bié ren de yāo qiú yě yí yàng yán gé　　cǐ
身勤勉不懈，而且对别人的要求也一样严格。此

shì chuán kai hòu　　táo kǎn gèng shòu bǎi xìng ài dài le
事传开后，陶侃更受百姓爱戴了。

想一想，选一选

gù shi li de lù rén wèi shén me yào qiā dào gǔ
（　）1.故事里的路人为什么要掐稻谷？

zhǐ shì hǎo wán er　　　　ná hui qu bō zhòng　　　　ná hui qu zhǔ
　　①只是好玩儿　②拿回去播种　③拿回去煮

táo kǎn shì zěn me duì dài nà ge qiā dào gǔ de rén de
（　）2.陶侃是怎么对待那个掐稻谷的人的？

zhòng dǎ wǔ shí dà bǎn　　　chēng zàn tā　　guān qi lai
　　①重打五十大板　②称赞他　③关起来

语文动动脑

qǐng jié hé zì yì zǔ hé chu xīn zi　　bìng xiě chu zhù yīn
◎请结合字义组合出新字，并写出注音。

lì　　mén　mù　　xián
例：门 + 木 = （闲）（xián）

---

rì　 guāng
1. 日 + 光 = （　　　）（　　　　　）

tǔ　 yě
2. 土 + 也 = （　　　）（　　　　　）

shǒu　bā
3. 手 + 巴 = （　　　）（　　　　　）

mù　 fǎn
4. 木 + 反 = （　　　）（　　　　　）

mù　 mù
5. 木 + 目 = （　　　）（　　　　　）

14 小猫钓鱼

童话寓言

老猫和小猫一起在河边钓鱼。

有一只蜻蜓飞来了，小猫一看见，放下钓鱼竿就去捉蜻蜓。蜻蜓飞走了，小猫没捉到，空着手回到河边，一看，老猫钓到了一条大鱼。

有一只蝴蝶飞来了，小猫一看见，放下钓鱼竿又去捉蝴蝶。蝴蝶飞走了，小猫又没捉到，空着手回到河边，一看，老猫又钓到了一条大鱼。

小猫说："真气人，为什么我连一条小鱼也钓不到？"

老猫看了看小猫，语重心长地说："钓鱼就钓鱼，不要这么三心二意的！一会儿捉蜻蜓，一会儿

zhuō hú dié   shén me shí hou cái néng diào dào yú ya
捉蝴蝶，什么时候才能钓到鱼呀？"

xiǎo māo tīng le lǎo māo de huà   kāi shǐ zhuān xīn de diào yú
小猫听了老猫的话，开始专心地钓鱼。

qīng tíng fēi lai le   hú dié yě fēi lai le   xiǎo māo dōu dàng méi kàn
蜻蜓飞来了，蝴蝶也飞来了，小猫都当没看

jiàn yí yàng   bù yí huì er   xiǎo māo yě diào dào le yì tiáo dà yú
见一样。不一会儿，小猫也钓到了一条大鱼。

 想一想，选一选

zài xiǎo māo diào dào yú zhī qián   lǎo māo diào le jǐ tiáo yú
（   ）1.在小猫钓到鱼之前，老猫钓了几条鱼？

yì tiáo   liǎng tiáo   sān tiáo
①一条 ②两条 ③三条

wèi shén me xiǎo māo diào bú dào yú
（   ）2.为什么小猫钓不到鱼？

yùn qi bù hǎo   yú dōu bèi lǎo māo diào zǒu le   sān xīn èr yì
①运气不好 ②鱼都被老猫钓走了 ③三心二意

 语文动动脑

xuǎn xuan kàn   yòng nǎ ge cí bǐ jiào hǎo   bǎ tā juān qi lai
◎选选看，用哪个词比较好，把它圈起来。

jiào ta qù ná dōng xi   què   kōng zhe shǒu   kōng zhe jiǎo   huí lai
1.叫他去拿东西，却（空着手 空着脚）回来。

wǒ dù zi hěn è   fàn shén me   shí hou   dì fang   cái néng zuò hǎo ne
2.我肚子很饿，饭什么（时候 地方）才能做好呢？

shàng kè shí yào zhuān xīn   shuō   tīng   lǎo shī jiǎng kè
3.上课时要专心（说 听）老师讲课。

wǒ men kě yǐ zài   hé biān   lù biān   diào yú
4.我们可以在（河边 路边）钓鱼。

15 蝴蝶与毛毛虫

自然百科

有一首童谣是这样念的：

小毛虫，枝上留，蝴蝶一见便回头。

毛虫骂道："不知羞，你小时候一样丑！"

蝴蝶觉得小毛虫很丑，小毛虫为什么会生气呢？那是因为美丽的蝴蝶在小时候，也是丑丑的毛毛虫！外表差这么多，到底是怎么变的呢？

当蝴蝶还是小毛虫的时候，它会不断地吃东西，每隔一段时间就要蜕一次皮，一次一次地长大，直到"变漂亮"的时机来临。

到了那时，小毛虫会找个地方结茧，等到在茧里成熟后就努力地破茧而出，变成漂亮的蝴蝶。这样看来，难怪丑丑的小毛虫会生骄傲的蝴蝶的气！

想一想，选一选

( ) 1. hú dié kàn jiàn xiǎo máo chóng jiù huí tóu shì wèi shén me
蝴蝶看见小毛虫就回头是为什么？

jué de xiǎo máo chóng hěn chǒu　　pà xiǎo máo chóng shāng hài tā
①觉得小毛虫很丑 ②怕小毛虫伤害它

xiǎng dào yǒu shì qing hái méi zuò
③想到有事情还没做

( ) 2. xiǎo máo chóng yào zěn me biàn piào liang
小毛虫要怎么变漂亮？

jié jiǎn　　rán hòu pò jiǎn ér chū　　zhǎo zhěng xíng yī shēng
①结茧，然后破茧而出 ②找整形医生

xiàng shén míng qí qiú
③向神明祈求

 语文动动脑

lián zì chéng jù
◎连字成句。

1. xiǎo shēng máo hěn chóng qì
①小②生③毛④很⑤虫⑥气＿＿＿＿＿＿＿＿

2. dié piào de liang hú
①蝶②漂③的④亮⑤蝴＿＿＿＿＿＿＿＿

3. xiǎo tíng bù jiào gǒu
①小②停③不④叫⑤狗＿＿＿＿＿＿＿＿

4. gē wǒ xǐ chàng huan
①歌②我③喜④唱⑤欢＿＿＿＿＿＿＿＿

16 古时候的买卖
gǔ shí hou de mǎi mai

知识宝库

在钱还没有出现之前，人们通过"以物易物"的方式买卖物品，也就是拿自己的东西去跟别人交换。

举例来说：老王需要一头牛来耕田，于是他想拿家里的两只羊去换一头牛回来。打定主意后，老王就上市集去做买卖啦！老王看到要卖牛的阿忠，问他拿两只羊跟他换一头牛如何。如果阿忠刚好需要两只羊，那么生意就成啦！如果阿忠希望换到的是十

只鸡，那老王就必须再去找别人交换。

这听起来很有趣，但其实很麻烦。想想看，

lǎo wáng zhēn de yǒu kě néng zhǎo bú dào yí gè yuàn yì ná niú huàn yáng de rén

老王真的有可能找不到一个愿意拿牛换羊的人

ne　　xìng hǎo hòu lái chū xiàn le huò bì　　cái shǐ mǎi mài biàn fāng biàn le

呢！幸好后来出现了货币，才使买卖变方便了。

zhǐ yào nǐ yǒu zú gòu de huò bì　　jiù kě yǐ kuài sù mǎi dào nǐ xū yào de

只要你有足够的货币，就可以快速买到你需要的

dōng xi　　dí què biàn lì duō le

东西，的确便利多了。

想一想，选一选

zài huò bì chū xiàn yǐ qián　　rén men zěn me mǎi mài dōng xi

（　）1. 在货币出现以前，人们怎么买卖东西？

yǐ wù yì wù　　hù xiāng qiǎng　　xǐ huan jiù ná zǒu

①以物易物　②互相抢　③喜欢就拿走

yǐ wù yì wù　　jiù shì

（　）2. "以物易物"就是＿＿＿。

zì jǐ zhǐ néng yǒu yí yàng dōng xi　　zì jǐ zuò dōng xi

①自己只能有一样东西　②自己做东西

gēn bié ren jiāo huàn dōng xi

③跟别人交换东西

huò bì jiāo yì gēn　　yǐ wù yì wù　　xiāng bǐ　　nǎ zhǒng mǎi mài fāng shì

（　）3. 货币交易跟"以物易物"相比，哪种买卖方式

bǐ jiào fāng biàn

比较方便？

huò bì　　yǐ wù yì wù　　dōu bù fāng biàn

①货币　②以物易物　③都不方便

17 猴子 (hóu zi)

童诗吟诵

猴子猴子吱吱叫，(hóu zi hóu zi zī zī jiào)
树上树下到处跑，(shù shàng shù xià dào chù pǎo)
东蹦蹦，西跳跳，(dōng bèng beng xī tiào tiao)
日子快乐又逍遥。(rì zi kuài lè yòu xiāo yáo)
动物园里食物好，(dòng wù yuán li shí wù hǎo)
每天把你喂得饱，(měi tiān bǎ nǐ wèi de bǎo)
抓你去，要不要？(zhuā nǐ qù yào bú yào)
猴子吓得赶紧逃。(hóu zi xià de gǎn jǐn táo)

想一想，选一选

zhù zài shù lín li de hóu zi shēng huó guò de rú hé
（　　）1.住在树林里的猴子，生活过得如何？

wú liáo yòu nán guò　　　kuài lè yòu xiāo yáo　　　jǐn zhāng yòu hài pà
①无聊又难过　②快乐又逍遥　③紧张又害怕

hóu zi xǐ huan zhù zài dòng wù yuán ma
（　　）2.猴子喜欢住在动物园吗？

xǐ huan　　　bù xǐ huan　　　ǒu ěr zhù zhu yě bú cuò
①喜欢　②不喜欢　③偶尔住住也不错

 语文动动脑

yǐn hào zhōng de wén zì　　zhù yīn yí yàng de huà　　　　bù yí yàng de dǎ
◎引号中的文字，注音一样的画"○"，不一样的打"×"。

---

xīng qī　yī　　　　xīn　yī
1.星期"一"　新"衣"（　　）

xīng qī　èr　　　　dù zi　è
2.星期"二"　肚子"饿"（　　）

xīng qī　sān　　　pá shān
3.星期"三"　爬"山"（　　）

xīng qī　sì　　　　kǎo shì
4.星期"四"　考"试"（　　）

xīng qī　wǔ　　　　tiào wǔ
5.星期"五"　跳"舞"（　　）

hóu zi　　　　　　　zī zī jiào
6.猴"子"　"吱吱"叫（　　）

wèi bǎo　　　　　táo pǎo
7.喂"饱"　逃"跑"（　　）

dào chù tiào　　　yì zhí jiào
8.到处"跳"　一直"叫"（　　）

18 明山宾卖牛
míng shān bīn mài niú

历史故事

梁朝时期，有一个叫明山宾的人，生活很穷困。有一天，他穷到没饭吃了，只好把唯一的一头牛牵到市场上卖掉。

在快收市的时候，明山宾终于把牛卖出去了。可是没过多久，他又追上去，叫住了那位买牛的先生："您要不要再考虑一下？"

买主不明白为什么要再考虑，问道："难道你后悔了？"

"不是的，因为我这头牛曾得过病，所以请您再考虑一下！"

买主听了之后，很生气地把牛退给他，明山宾只好把钱还给人家。

别人都笑他傻，说："牛都卖出去了，何必再把毛病告诉人家呢？"明山宾却说："牛

kě yǐ zài mài dàn shì yí gè rén de xìn yòng què shì bù kě yǐ chū mài
可以再卖，但是一个人的信用却是不可以出卖

de ya
的呀！"

 想一想，选一选

míng shān bīn de niú wèi shén me bèi tuì huí lái le
（　）1. 明山宾的牛为什么被退回来了？

niú dé guo bìng　　niú shēng bìng le　　niú tī le mǎi zhǔ yì jiǎo
①牛得过病 ②牛生病了 ③牛踢了买主一脚

míng shān bīn rèn wéi shén me shì bù kě chū mài de
（　）2. 明山宾认为什么是不可出卖的？

niú　　xìn yòng　　tǔ dì
①牛 ②信用 ③土地

 语文动动脑

qǐng bāng xià liè cí yǔ zhǎo chu zhèng què de jiě shì　　rán hòu zài kuò hào li tián rù dài hào
◎请帮下列词语找出正确的解释，然后在括号里填入代号。

mǎi zhǔ
1. 买主（　）

kǎo lǜ
2. 考虑（　）

hòu huǐ
3. 后悔（　）

jiǎng xìn yòng
4. 讲信用（　）

sī kǎo　　kǎo liang
①思考、考量。

chū qián mǎi dōng xi de rén
②出钱买东西的人。

chéng shí ér bù qī piàn bié ren
③诚实而不欺骗别人。

shì hòu fǎn huǐ
④事后反悔。

19 睁着眼睛睡觉的鱼

自然百科

安安每天既上学又要玩耍，到了晚上，总是累得呵欠连连，就连吃饭时都忍不住要闭上眼睛打瞌睡呢！

因此，安安很佩服鱼缸里的小鱼儿。它们游一整天，却从不闭眼睡觉。安安不禁好奇地问爸爸："难道鱼儿都不累吗？"

爸爸说："当然会累！一直在游泳，怎么不累？你看那条停在水草边的金鱼，其实就是在睡觉呢！"

"可是，它的眼睛是睁着的呀！"安安觉得很奇怪。

爸爸笑着回答："这是因为鱼儿没有眼皮，所以就算睡着了，也不能闭上眼

jīng 睛。<ruby>你<rt>nǐ</rt></ruby><ruby>只<rt>zhǐ</rt></ruby><ruby>要<rt>yào</rt></ruby><ruby>看<rt>kàn</rt></ruby><ruby>到<rt>dào</rt></ruby><ruby>一<rt>yì</rt></ruby><ruby>条<rt>tiáo</rt></ruby><ruby>鱼<rt>yú</rt></ruby><ruby>在<rt>zài</rt></ruby><ruby>水<rt>shuǐ</rt></ruby><ruby>中<rt>zhōng</rt></ruby><ruby>一<rt>yì</rt></ruby><ruby>直<rt>zhí</rt></ruby><ruby>静<rt>jìng</rt></ruby><ruby>止<rt>zhǐ</rt></ruby><ruby>不<rt>bú</rt></ruby><ruby>动<rt>dòng</rt></ruby>，

<ruby>鱼<rt>yú</rt></ruby><ruby>鳃<rt>sāi</rt></ruby><ruby>有<rt>yǒu</rt></ruby><ruby>规<rt>guī</rt></ruby><ruby>律<rt>lǜ</rt></ruby><ruby>地<rt>de</rt></ruby><ruby>一<rt>yì</rt></ruby><ruby>张<rt>zhāng</rt></ruby><ruby>一<rt>yì</rt></ruby><ruby>合<rt>hé</rt></ruby>，<ruby>就<rt>jiù</rt></ruby><ruby>表<rt>biǎo</rt></ruby><ruby>示<rt>shì</rt></ruby><ruby>它<rt>tā</rt></ruby><ruby>在<rt>zài</rt></ruby><ruby>睡<rt>shuì</rt></ruby><ruby>觉<rt>jiào</rt></ruby><ruby>了<rt>le</rt></ruby>。"

 想一想，选一选

（   ）1.<ruby>鱼<rt>yú</rt></ruby><ruby>儿<rt>er</rt></ruby><ruby>在<rt>zài</rt></ruby><ruby>睡<rt>shuì</rt></ruby><ruby>觉<rt>jiào</rt></ruby><ruby>的<rt>de</rt></ruby><ruby>时<rt>shí</rt></ruby><ruby>候<rt>hou</rt></ruby>，<ruby>眼<rt>yǎn</rt></ruby><ruby>睛<rt>jing</rt></ruby><ruby>为<rt>wèi</rt></ruby><ruby>什<rt>shén</rt></ruby><ruby>么<rt>me</rt></ruby><ruby>是<rt>shì</rt></ruby><ruby>睁<rt>zhēng</rt></ruby><ruby>着<rt>zhe</rt></ruby><ruby>的<rt>de</rt></ruby>？

①<ruby>鱼<rt>yú</rt></ruby><ruby>儿<rt>er</rt></ruby><ruby>没<rt>méi</rt></ruby><ruby>有<rt>you</rt></ruby><ruby>眼<rt>yǎn</rt></ruby><ruby>皮<rt>pí</rt></ruby>　②<ruby>要<rt>yào</rt></ruby><ruby>防<rt>fáng</rt></ruby><ruby>止<rt>zhǐ</rt></ruby><ruby>其<rt>qí</rt></ruby><ruby>他<rt>tā</rt></ruby><ruby>鱼<rt>yú</rt></ruby><ruby>的<rt>de</rt></ruby><ruby>攻<rt>gōng</rt></ruby><ruby>击<rt>jī</rt></ruby>

③<ruby>不<rt>bù</rt></ruby><ruby>想<rt>xiǎng</rt></ruby><ruby>让<rt>ràng</rt></ruby><ruby>别<rt>bié</rt></ruby><ruby>人<rt>ren</rt></ruby><ruby>知<rt>zhī</rt></ruby><ruby>道<rt>dao</rt></ruby><ruby>它<rt>tā</rt></ruby><ruby>在<rt>zài</rt></ruby><ruby>睡<rt>shuì</rt></ruby><ruby>觉<rt>jiào</rt></ruby>

（   ）2.<ruby>怎<rt>zěn</rt></ruby><ruby>样<rt>yàng</rt></ruby><ruby>才<rt>cái</rt></ruby><ruby>知<rt>zhī</rt></ruby><ruby>道<rt>dao</rt></ruby><ruby>鱼<rt>yú</rt></ruby><ruby>睡<rt>shuì</rt></ruby><ruby>着<rt>zháo</rt></ruby><ruby>了<rt>le</rt></ruby>？

①<ruby>一<rt>yì</rt></ruby><ruby>直<rt>zhí</rt></ruby><ruby>游<rt>yóu</rt></ruby><ruby>来<rt>lái</rt></ruby><ruby>游<rt>yóu</rt></ruby><ruby>去<rt>qù</rt></ruby>　②<ruby>静<rt>jìng</rt></ruby><ruby>止<rt>zhǐ</rt></ruby><ruby>不<rt>bú</rt></ruby><ruby>动<rt>dòng</rt></ruby>，<ruby>呼<rt>hū</rt></ruby><ruby>吸<rt>xī</rt></ruby><ruby>规<rt>guī</rt></ruby><ruby>律<rt>lù</rt></ruby>　③<ruby>闭<rt>bì</rt></ruby><ruby>眼<rt>yǎn</rt></ruby><ruby>睛<rt>jing</rt></ruby>

语文动动脑

◎<ruby>请<rt>qǐng</rt></ruby><ruby>帮<rt>bāng</rt></ruby><ruby>下<rt>xià</rt></ruby><ruby>列<rt>liè</rt></ruby><ruby>句<rt>jù</rt></ruby><ruby>子<rt>zi</rt></ruby><ruby>找<rt>zhǎo</rt></ruby><ruby>到<rt>dào</rt></ruby><ruby>合<rt>hé</rt></ruby><ruby>适<rt>shì</rt></ruby><ruby>的<rt>de</rt></ruby><ruby>词<rt>cí</rt></ruby><ruby>语<rt>yǔ</rt></ruby>，<ruby>将<rt>jiāng</rt></ruby><ruby>序<rt>xù</rt></ruby><ruby>号<rt>hào</rt></ruby><ruby>填<rt>tián</rt></ruby><ruby>入<rt>rù</rt></ruby><ruby>括<rt>kuò</rt></ruby><ruby>号<rt>hào</rt></ruby><ruby>里<rt>li</rt></ruby>。

①<ruby>呵<rt>hē</rt></ruby><ruby>欠<rt>qian</rt></ruby>　②<ruby>忍<rt>rěn</rt></ruby><ruby>不<rt>bú</rt></ruby><ruby>住<rt>zhù</rt></ruby>　③<ruby>安<rt>ān</rt></ruby><ruby>静<rt>jìng</rt></ruby>　④<ruby>佩<rt>pèi</rt></ruby><ruby>服<rt>fu</rt></ruby>　⑤<ruby>规<rt>guī</rt></ruby><ruby>律<rt>lù</rt></ruby>

1.<ruby>生<rt>shēng</rt></ruby><ruby>活<rt>huó</rt></ruby><ruby>要<rt>yào</rt></ruby>（　　　），<ruby>身<rt>shēn</rt></ruby><ruby>体<rt>tǐ</rt></ruby><ruby>才<rt>cái</rt></ruby><ruby>健<rt>jiàn</rt></ruby><ruby>康<rt>kāng</rt></ruby>。

2.<ruby>看<rt>kàn</rt></ruby><ruby>到<rt>dào</rt></ruby><ruby>桌<rt>zhuō</rt></ruby><ruby>上<rt>shang</rt></ruby><ruby>的<rt>de</rt></ruby><ruby>蛋<rt>dàn</rt></ruby><ruby>糕<rt>gāo</rt></ruby>，<ruby>弟<rt>dì</rt></ruby><ruby>弟<rt>di</rt></ruby>（　　　）<ruby>偷<rt>tōu</rt></ruby><ruby>吃<rt>chī</rt></ruby><ruby>一<rt>yì</rt></ruby><ruby>口<rt>kǒu</rt></ruby>。

3.<ruby>玩<rt>wán</rt></ruby><ruby>了<rt>le</rt></ruby><ruby>一<rt>yì</rt></ruby><ruby>天<rt>tiān</rt></ruby>，<ruby>小<rt>xiǎo</rt></ruby><ruby>妹<rt>mèi</rt></ruby><ruby>妹<rt>mei</rt></ruby><ruby>累<rt>lèi</rt></ruby><ruby>得<rt>de</rt></ruby>（　　　）<ruby>连<rt>lián</rt></ruby><ruby>连<rt>lián</rt></ruby><ruby>呢<rt>ne</rt></ruby>！

20 阿土伯的烦恼

ā tǔ bó de fán nǎo

童话寓言

阿土伯有两个儿子，大儿子卖雨伞，小儿子卖扇子。他们的生活无忧无虑，但是阿土伯总是皱着眉头。

阿土伯早上起床，第一件事就是到屋外看看天空。一看，是万里无云的大晴天，阿土伯便摇头叹气道："唉，天气这么好，一定不会下雨，看来大儿子的伞是卖不出去了！"

后来，下了好多天的大雨，但是阿土伯还是不快乐，心想：这么凉快的雨天，小儿子的扇子一定没人买。

有人知道了，对阿土伯说："这有什么好

fán nǎo de ne   qíng tiān   xiǎo ér zi de shàn zi   yí dìng mài de hěn
烦恼的呢？晴天，小儿子的扇子一定卖得很

hǎo   yǔ tiān   dà ér zi de yǔ sǎn   yí dìng yǒu hěn duō rén mǎi   zhè
好；雨天，大儿子的雨伞一定有很多人买。这

yàng qù xiǎng   nǎ yì tiān huì bú kuài lè ne
样去想，哪一天会不快乐呢？"

ā tǔ bó tīng le zhī hòu   kāi xīn de xiào le qǐ lái
阿土伯听了之后，开心地笑了起来。

 语文动动脑

lián lian kàn   shén me shí hou huì yòng dào xià liè wù pǐn
◎ 连连看，什么时候会用到下列物品？

shǒu diàn tǒng
1. 手电筒

kōng tiáo
2. 空调

wǎn kuài
3. 碗筷

xiàng pí
4. 橡皮

féi zào
5. 肥皂

yǔ yī
6. 雨衣

mián bèi
7. 棉被

yán rè de xià tiān
① 炎热的夏天

chī fàn de shí hou
② 吃饭的时候

xǐ shǒu de shí hou
③ 洗手的时候

shuì jiào de shí hou
④ 睡觉的时候

tíng diàn de wǎn shang
⑤ 停电的晚上

xiě cuò zì de shí hou
⑥ 写错字的时候

xià yǔ tiān
⑦ 下雨天

21 绕口令
rào kǒu lìng

知识宝库

什么是绕口令？绕口令其实就是一种语言游戏，把一些发音相似或容易念错的文字组合成句子。这样的句子念快了就容易出错，但因为它通常都写得很有趣，就算念错了被人笑，自己也不会觉得丢脸，反而会跟着一起哈哈大笑。要是能念得又快又好，说明这个人的发音清楚又正确，反应也很快。

现在我们先来念一句试试看：红凤黄凤粉红凤。接着挑战长一点儿的：和尚端汤上塔，塔滑汤洒汤烫塔。还有再长一点儿的：飞机飞，灰鸡灰，抱着灰鸡

shàng fēi jī   fēi jī qǐ fēi huī jī yào fēi   zài shì shi gèng cháng de
上飞机，飞机起飞灰鸡要飞。再试试更长的：
sū zhōu yǒu ge sū hú zi   hú zhōu yǒu ge hú hú zi   sū zhōu sū hú zi
苏州有个苏胡子，湖州有个胡胡子，苏州苏胡子
jiā li yǒu bǎ hú shū zi   hú zhōu hú hú zi xiàng sū zhōu sū hú zi jiè hú
家里有把胡梳子，湖州胡胡子向苏州苏胡子借胡
shū zi shū hú zi
梳子梳胡子。

 想一想，选一选

rào kǒu lìng shì shén me
（ ）1. 绕口令是什么？
yùn dòng yóu xì   cāi quán yóu xì   yǔ wén yóu xì
①运动游戏 ②猜拳游戏 ③语文游戏

xià liè nǎ yí gè bú shì rào kǒu lìng de tè sè
（ ）2. 下列哪一个不是绕口令的特色？
xiě de hěn yǒu qù   hěn hǎo niàn   yǒu xiē zì fā yīn hěn xiāng sì
①写得很有趣 ②很好念 ③有些字发音很相似

 语文动动脑

xuǎn zé zhèng què de zì tián rù kuò hào zhōng
◎ 选择正确的字填入括号中。

zǎo shang qǐ chuáng shí yào yòng   zi zhěng lǐ tóu fa   shū sū
1. 早上起床时要用（ ）子整理头发。 梳 苏
bà ba de   zi mō qi lai cū cū de   hú hú
2. 爸爸的（ ）子摸起来粗粗的。 胡 湖
wǒ yǒu yí jiàn   sè de wài tào   huī fēi
3. 我有一件（ ）色的外套。 灰 飞
zhè jiān   diàn li yǒu yóu yǒng chí   huàn fàn
4. 这间（ ）店里有游泳池。 换 饭

22 班超的志气

名人故事

汉朝的大外交官班超，口才了得、学富五车、志气远大。

少年时代的班超，跟着哥哥住在洛阳。因为家境贫寒，他只好到官府当个抄写员，赚钱奉养母亲。生活虽然稳定，却很无趣。

有一天，他抄完一份公文后，突然把笔一丢，大声说道："大丈夫，就应该效法张骞、傅介子（当时有名的外交官）为国立功，怎可以埋没在笔砚之间呢？"

他的同僚都嘲笑他只会做白日梦。

但是，班超不光是嘴上说说而已，他真的放下原有的工

zuò jiā rù jūn duì hé qiáng dí xiōng nú zuò zhàn hòu lái bān chāo yòu
作，加入军队，和强敌匈奴作战。后来班超又
chū shǐ xī yù wèi guó jiā zhēng qǔ dào xǔ duō duì kàng xiōng nú de méng
出使西域，为国家争取到许多对抗匈奴的盟
guó chéng wéi lì shǐ shang yǒu míng de wài jiāo guān
国，成为历史上有名的外交官。

 想一想，选一选

shào nián shí dài de bān chāo zài luò yáng zuò shén me gōng zuò
（ ）1.少年时代的班超在洛阳做什么工作？

wài jiāo guān dà jiāng jūn chāo xiě yuán
①外交官 ②大将军 ③抄写员

bān chāo rèn wéi gāi zěn me zuò yí gè dà zhàng fu
（ ）2.班超认为该怎么做一个大丈夫？

xiě yì shǒu hǎo zì chāo hěn duō shū wèi guó lì gōng
①写一手好字 ②抄很多书 ③为国立功

 小小文学家

qǐng jiāng shì dàng de yǔ qì cí jiā rù xià liè jù zi zhōng
◎请将适当的语气词加入下列句子中。

kě yǐ qǐng nǐ bāng wǒ ná shū
1.可以请你帮我拿书（ ）？

ma
吗

wǒ yǐ jīng chī bǎo fàn
2.我已经吃饱饭（ ）。

le
了

míng tiān shì qíng tiān hái shì yǔ tiān
3.明天是晴天还是雨天（ ）？

ne
呢

lǎo shī yǒu méi you bù zhì zuò yè
4.老师有没有布置作业（ ）？

xū dì di kuài yào shuì zháo
5.嘘！弟弟快要睡着（ ）。

23 童诗一首

tóng shī yì shǒu

童诗吟诵

荷花

hé huā

夏日里，水池塘，
xià rì lǐ　shuǐ chí táng

朵朵荷花正开放。
duǒ duǒ hé huā zhèng kāi fàng

红花艳，白花香，
hóng huā yàn　bái huā xiāng

亭亭玉立水中央。
tíng tíng yù lì shuǐ zhōng yāng

昂着头，迎骄阳，
áng zhe tóu　yíng jiāo yáng

欢迎大家来欣赏。
huān yíng dà jiā lái xīn shǎng

想一想，选一选

<small>hé huā zài nǎ ge jì jié kāi fàng</small>
（　　）1. 荷花在哪个季节开放？

<small>chūn tiān　　xià tiān　　qiū tiān</small>
　　①春天　②夏天　③秋天

<small>hé huā zài nǎ li kāi fàng</small>
（　　）2. 荷花在哪里开放？

<small>shān dǐng shang　　shuǐ zhōng yāng　　dà hǎi biān</small>
　　①山顶上　②水中央　③大海边

 小小文学家

<small>qǐng jiāng hé shì de xíng róng cí yǔ míng cí lián qi lai</small>
◎ 请将合适的形容词与名词连起来。

<small>hóng tōng tōng de</small>
1. 红通通的　　　　　　　　<small>yè wǎn</small>
　　　　　　　　　　　　　　①夜晚

<small>hēi qī qī de</small>
2. 黑漆漆的　　　　　　　　<small>dà yǎn jing</small>
　　　　　　　　　　　　　　②大眼睛

<small>lǜ yóu yóu de</small>
3. 绿油油的　　　　　　　　<small>xiǎo xīng xing</small>
　　　　　　　　　　　　　　③小星星

<small>liàng jīng jīng de</small>
4. 亮晶晶的　　　　　　　　<small>liǎn jiá</small>
　　　　　　　　　　　　　　④脸颊

<small>shuǐ wāng wāng de</small>
5. 水汪汪的　　　　　　　　<small>jīn bì</small>
　　　　　　　　　　　　　　⑤金币

<small>xiāng pēn pēn de</small>
6. 香喷喷的　　　　　　　　<small>xiǎo gǒu</small>
　　　　　　　　　　　　　　⑥小狗

<small>huáng dēng dēng de</small>
7. 黄澄澄的　　　　　　　　<small>dào tián</small>
　　　　　　　　　　　　　　⑦稻田

<small>máo róng róng de</small>
8. 毛茸茸的　　　　　　　　<small>niú ròu miàn</small>
　　　　　　　　　　　　　　⑧牛肉面

24 口是心非
kǒu shì xīn fēi

历史故事

邱濬去拜访一位很势利的和尚，结果这和尚见他不是官老爷，就爱搭不理的。这时，来了一位官职很高的将军，和尚马上换了一种态度，笑脸相迎、礼数周全。

邱濬心里很不是滋味，立刻质问和尚。

这和尚反应很快，马上回答说："哎呀！因为你不了解我的脾气，才会有所误会。凡是表面对他客气的，我心里未必就尊敬他；而真正出自内心尊敬的，表面上又何必要表现出来呢？"

邱濬听了，拿起拐杖往和尚的脑袋上敲了好几下，生气地说：

zhào nǐ zhè me shuō　　dǎ nǐ jiù shì jìng ài nǐ　　bù dǎ nǐ jiù shì bú

"照你这么说，打你就是敬爱你；不打你就是不

jìng ài nǐ　　wèi le biǎo xiàn wǒ duì nǐ de jìng ài　　wǒ zhǐ hǎo dǎ nǐ

敬爱你。为了表现我对你的敬爱，我只好打你

le

了！"

 想一想，选一选

gù shi li de hé shang duì qiū jùn de tài du shì

（　）1.故事里的和尚对邱濬的态度是＿＿＿。

xiào liǎn xiāng yíng　　　ài dā bù lǐ　　　lǐ shù zhōu quán

①笑脸相迎 ②爱搭不理 ③礼数周全

hé shang duì dà jiāng jūn de tài du shì

（　）2.和尚对大将军的态度是＿＿＿。

ài dā bù lǐ　　　chòu liǎn xiāng yíng　　　lǐ shù zhōu quán

①爱搭不理 ②臭脸相迎 ③礼数周全

 语文动动脑

xiě chu xià liè hàn zì de dú yīn　　　bìng zhǎo chu liǎng gè zì xiāng tóng de bù fen xiě zài

◎写出下列汉字的读音，并找出两个字相同的部分写在

zhōng jiān de fāng kuàng li

中间的方框里。

lǐ
例：理（lǐ） | 里 | 埋（mái）

1.很（　） ⬜ 狠（　）

2.打（　） ⬜ 钉（　）

3.何（　） ⬜ 河（　）

25 精卫填海

jīng wèi tián hǎi

神话传说

炎帝有一个小女儿，名叫女娃，是他最喜爱
的孩子。有一天，女娃独自驾着小船到东海玩
儿。没想到，海上突然卷起风暴，大风吹翻了
船，大浪吞没了女娃，女娃因此丧了命。炎帝
非常伤心。

不久之后，一只体形瘦小的鸟儿出现了，
白嘴红脚，因叫声像"精卫、精卫"，人们便
称它"精卫鸟"。

这只精卫鸟，总是从发鸠山衔来小树枝或
小石头，然后飞向东海，把小树枝或小石头丢
进大海，不断
地来来回回，
似乎想把大海
填平。

yú shì yǒu rén shuō　　zhè zhī niǎo yí dìng shì nǚ wá biàn de　　wèi
于是有人说，这只鸟一定是女娃变的，为

le xiàng dōng hǎi fù chóu　　nǎ pà zì jǐ de lì liang zài ruò xiǎo　　réng rán
了向东海复仇，哪怕自己的力量再弱小，仍然

yào bú gù yí qiè de qù tián hǎi
要不顾一切地去填海。

 想一想，选一选

nǚ wá jià chuán dào dōng hǎi wán er　　　　fā shēng le shén me shì
（　　）1.女娃驾船到东海玩儿，发生了什么事？

mí shī le fāng xiàng　　　bèi dà làng tūn mò　　　　yù dào dà bái shā
①迷失了方向　②被大浪吞没　③遇到大白鲨

jīng wèi niǎo xián zhe xiǎo shí tou yǔ xiǎo shù zhī yào zuò shén me ne
（　　）2.精卫鸟衔着小石头与小树枝要做什么呢？

bǎ dōng hǎi tián píng　　　zhù yí gè niǎo cháo　　　duī chéng yí zuò hǎi dǎo
①把东海填平　②筑一个鸟巢　③堆成一座海岛

 语文动动脑

yǐ xià zhè xiē cí dōu shì miáo xiě rén de xīn qíng de　　qǐng zài hǎo xīn qíng qián de kuò
◎以下这些词都是描写人的心情的，请在好心情前的括

hào lǐ huà　　　　　zài huài xīn qíng qián de kuò hào lǐ dǎ
号里画"○"，在坏心情前的括号里打"×"。

shāng xīn 1.伤心（　　）	kuài lè 2.快乐（　　）
xǐ yuè 3.喜悦（　　）	gāo xìng 4.高兴（　　）
ào nǎo 5.懊恼（　　）	yú kuài 6.愉快（　　）
tòng kǔ 7.痛苦（　　）	shēng qì 8.生气（　　）

26 书法家王羲之

名人故事

东晋时期，有位叫王羲之的人，是历史上有名的大书法家。

据说，王羲之不论是吃饭还是走路，无时无刻都在想着如何写出更好的书法作品。他总是一边想，一边用手在衣服上比画着，日子一久，衣服竟被他划破了。

除此之外，他每天都在池塘边勤奋练字，每次写完，就在池边洗毛笔和砚台。渐渐地，池塘里的水就被他笔砚上残留的墨汁染黑了。

他曾经把字写在木板上，再请工匠依字迹雕刻。工

匠刻字时，发现笔迹竟渗入木板三分深，由此
可见王羲之书法功力的深厚。这样的功力，正
是他苦心勤练的成果。

想一想，选一选

（　）1.不管什么时候，王羲之想的都是＿＿＿＿。

①如何卖出更多的书法作品　②哪里能买到好用的

毛笔　③如何写出更好的书法作品

（　）2.从王羲之的字迹渗入木板三分厚，可知王羲之＿＿＿＿。

①练过武功　②书法功力深厚　③墨汁蘸得太多

自然观察家

◎以下这些液体通常是什么颜色的？连连看。

1. 墨汁	①红色
2. 血液	②橘色
3. 橙汁	③透明无色
4. 白开水	④黑色

27 小公鸡
xiǎo gōng jī

童诗吟诵

xiǎo gōng jī
小公鸡，

zhēn měi lì
真美丽，

bǐ jià guǎn
笔架冠，

fèng huáng yī
凤凰衣。

mā ma qín lái wèi
妈妈勤来喂，

zhǎng de guāi yòu féi
长得乖又肥。

yī gēng chàng
一更唱，

èr gēng tí
二更啼，

sān gēng sì tí bào hǎo shí
三更四啼报好时，

wǔ gēng yì míng rén jìn qǐ
五更一鸣人尽起。

bú yào qián lái bú yào mǐ
不要钱来不要米，

zhǐ wèi lí míng chuán xiāo xi
只为黎明传消息。

你知道吗？在中国的传统文化里，人们认为鸡与太阳的起落有关：只要公鸡一叫，太阳就会升起，驱散黑夜，开启全新的一天。因此，人们的作息都依赖公鸡的啼叫。在许多赞颂公鸡的歌谣里，都会提到这个特点，并将"天亮报时"当作公鸡的神圣使命。就像这首儿歌里的公鸡，无论是否吃饱，无论是否有薪水可领，也都要啼叫报时，为黎明传递消息。这样的公鸡在美丽与可爱之外，是不是更多了一份伟大呢？

 想一想，选一选

（　　）1. 小公鸡天亮时啼叫是为了什么？

　　①为了赚钱　②想吃米　③为黎明传消息

（　　）2. 公鸡的哪一个特点值得歌颂？

　　①不会飞　②报时　③与凤凰相似的羽毛

（　　）3. 在中国的传统文化中，认为公鸡与什么有关？

　　①下雨的时间　②一年收成的好坏　③太阳的起落

28 自食其果的骡子

童话寓言

一个商人赶着一头驴和一头骡子，这两头牲口都载着很重的货物。

驴在平地行走时，还不觉得背上的货物无法负担，但一走到山间小路，就吃不消了。气都喘不过来的驴请求它的同伴骡子，帮它分担一部分，好让它能把其余的货物载到家。

骡子拒绝了，说："我跟你负载着同样重的东西，为什么我还要帮你？"

不久，驴支撑不下去了，累死在路上。商人只好把驴所载的货物全都加到骡子背上。

luó zi zài liǎng bèi huò wù de zhòng yā zhī xià　bú duàn shēn yín
骡子在两倍货物的重压之下，不断呻吟：

wǒ zhēn shi huó gāi ya　dāng chū wǒ yào shi bāng zhù lǘ yí xià　xiàn
"我真是活该呀！当初我要是帮助驴一下，现

zài yě bú yòng zài zhe suǒ yǒu de huò wù le
在也不用载着所有的货物了！"

 想一想，选一选

gù shi li de lǘ gēn luó zi　shéi de lì qi bǐ jiào xiǎo
（　）1.故事里的驴跟骡子，谁的力气比较小？

　　　lǘ　　luó zi　　yí yàng dà
　　　①驴　②骡子　③一样大

dāng lǘ lèi sǐ hòu　　　tā suǒ zài de huò wù zěn me bàn
（　）2.当驴累死后，它所载的货物怎么办？

　　　shāng rén zì jǐ bēi　quán yóu luó zi zài　　diū zài lù páng bú yào le
　　　①商人自己背　②全由骡子载　③丢在路旁不要了

🦜 自然观察家

yǐ xià xíng sì de hàn zì　　nǎ yí gè cái shì zhèng què de ne　qǐng quān chu lai
◎以下形似的汉字，哪一个才是正确的呢？请圈出来。

bān jiā shí　bà ba qǐng yí liàng dà huò chē lái　　jiā jù　dài zài
1.搬家时，爸爸请一辆大货车来_____家具。 戴 载

zài lù shang　　dào qián shí　　yào sòng dào gōng ān jú　jiǎn jiǎn
2.在路上_____到钱时，要送到公安局。 捡 检

tiān dào le　shù yè dōu biàn huáng le　miào qiū
3._____天到了，树叶都变黄了。 妙 秋

wǎn quán jiā yào yì qǐ qù guàng bǎi huò shāng chǎng　lìng jīn
4._____晚全家要一起去逛百货商场。 令 今

29 tóng shī liǎng shǒu 童诗两首

童诗吟诵

hǎi biān
海边

shā tān shang
沙滩上，

hǎi fēng chuī
海风吹，

shuǐ miàn shang
水面上，

hǎi ōu fēi
海鸥飞，

hǎi biān jǐng sè fēi cháng měi
海边景色非常美。

wǎn xiá zhōng
晚霞中，

xī yáng chuí
夕阳垂，

wǎn fēng li
晚风里，

huǎn huǎn guī
缓缓归，

tà zhe luò rì de yú huī
踏着落日的余晖。

xiǎo xī
小溪

xiǎo xiǎo xī
小小溪，

màn màn liú
慢慢流，

hēng zhe gē
哼着歌，

méi fán yōu
没烦忧，

xiǎo yú xiǎo xiā shēn shang yóu
小鱼小虾身上游，

bái lù fēi lai lè yōu yōu
白鹭飞来乐悠悠。

xiǎo xiǎo xī
小小溪，

màn màn liú
慢慢流，

yí lù shang
一路上，

bù tíng liú
不停留，

huī bié yán tú de péng you
挥别沿途的朋友，

zhí bèn luò rì de jìn tóu
直奔落日的尽头。

 想一想，选一选

( )1.哪一种 动物不住在小溪里？
nǎ yì zhǒng dòng wù bú zhù zài xiǎo xī li

　　①小鱼　②小虾　③白鹭鸶
　　 xiǎo yú　 xiǎo xiā　 bái lù sī

( )2.小小溪要流到哪里去？
xiǎo xiǎo xī yào liú dào nǎ li qù

　　①山里　②落日的尽头　③海里
　　 shān li　 luò rì de jìn tóu　 hǎi li

( )3.哪种景色海边看不到？
nǎ zhǒng jǐng sè hǎi biān kàn bú dào

　　①海鸥飞　②深山谷　③夕阳垂
　　 hǎi ōu fēi　 shēn shān gǔ　 xī yáng chuí

小小文学家

◎照例子写短句。
zhào lì zi xiě duǎn jù

1.乐悠悠
　 lè yōu yōu

①_____　②_____

2.哼着歌
　 hēng zhe gē

①_____　②_____

3.景色很美
　 jǐng sè hěn měi

①_____很_____　②_____很_____
　　　 hěn　　　　　　　 hěn

67

30 周处除三害
zhōu chǔ chú sān hài

历史故事

周处是一个力气很大，却无恶不做的人，
zhōu chǔ shì yí gè lì qi hěn dà què wú è bú zuò de rén

乡亲邻里都怕他。
xiāng qīn lín lǐ dōu pà tā

有一天，他遇到一位看起来闷闷不乐的老
yǒu yì tiān tā yù dào yí wèi kàn qi lai mèn mèn bú lè de lǎo

人，便上前问他：“老先生，现在大家都过得
rén biàn shàng qián wèn tā lǎo xiān sheng xiàn zài dà jiā dōu guò de

很好，你为什么不快乐？”
hěn hǎo nǐ wèi shén me bú kuài lè

“唉！这是因为我们这里出现了三个祸害
ài zhè shì yīn wei wǒ men zhè li chū xiàn le sān gè huò hai

呀！南山有会吃人的猛虎；长桥下有会翻船的
ya nán shān yǒu huì chī rén de měng hǔ cháng qiáo xià yǒu huì fān chuán de

蛟龙；乡里又有凶恶如魔王的周处！”老人再
jiāo lóng xiāng lǐ yòu yǒu xiōng è rú mó wáng de zhōu chǔ lǎo rén zài

次摇头叹气，“这叫我怎么快乐得起来？”
cì yáo tóu tàn qì zhè jiào wǒ zěn me kuài lè de qǐ lái

周处听了非常羞愧。于
zhōu chǔ tīng le fēi cháng xiū kuì yú

是，他拿着武器，
shì tā ná zhe wǔ qì

先上南山把猛虎
xiān shàng nán shān bǎ měng hǔ

砍成两半；又到
kǎn chéng liǎng bàn yòu dào

长桥与蛟龙搏斗
cháng qiáo yǔ jiāo lóng bó dòu

了三天三夜，终于除去了两害。最后他决心改

过，离开家乡去求学，严格约束自己，成了为

百姓谋福利的好官。

 想一想，选一选

( ) 1.周处听了老人的话，感受如何？

　　①很羞愧　②很得意　③很骄傲

( ) 2.周处如何改正自己的过错？

　　①把自己砍成两半　②到山里斗猛虎

　　③离开家乡求学，并严格约束自己

 语文动动脑

◎ 按提示填入正确的动词。

砍　钉　跳　撞　摸

1. 樵夫用斧头（　　　　）大树。

2. 在墙上（　　　　）个钉子，就可以挂东西了。

3. 一看到蟑螂，妹妹吓得（　　　　）到桌子上。

31 蛇走路的方法

自然百科

蜈蚣有很多脚，山羊有四只脚，我们人有两只脚。咦，蛇呢？蛇连一只脚都没有呢！那它到底是怎么走路的呢？

蛇虽然没有脚，但它身上有无数的鳞片，这些鳞片不仅可以保护蛇的安全，同时也是它的脚。

大部分的蛇在向前爬行时，身体会弯曲成"S"形，这时接触地面的所有鳞片会纷纷张开。张开的鳞片可以"抓"住突起的草丛和路面，借此推动身体前行。这样看来，蛇的每个鳞片都

shì tā de yì zhī jiǎo wa
是它的一只"脚"哇！

　　cǐ wài　　 shé de biǎo pí hěn sōng　 dāng lín piàn yǔ dì miàn jiē chù
　　此外，蛇的表皮很松，当鳞片与地面接触

shí　　 shēn tǐ nèi bù huì xiān xiàng qián huá dòng　　 biǎo pí zài suí zhe xiàng qián
时，身体内部会先向前滑动，表皮再随着向前

yí　　 zhè duì shé de pá xíng yě hěn yǒu bāng zhù ne
移，这对蛇的爬行也很有帮助呢！

 想一想，选一选

　shé yǒu jǐ zhī jiǎo
（　）1.蛇有几只脚？

　　liǎng zhī　　 hěn duō zhī　　 méi you jiǎo
　　①两只　②很多只　③没有脚

　　shé kào shén me zhuā zhù tū qǐ de cǎo cóng yǔ lù miàn　 xiàng qián yí dòng
（　）2.蛇靠什么抓住突起的草丛与路面，向前移动？

　　lín piàn　　 zhuǎ zi　　 zuǐ ba
　　①鳞片　②爪子　③嘴巴

　　shé zài pá xíng shí　　 shēn tǐ huì biàn chéng shén me xíng zhuàng
（　）3.蛇在爬行时，身体会变成什么形状？

　　zhí xiàn　　 yuán xíng　　　 xíng
　　①直线　②圆形　③"S"形

　　shé de nǎ yí gè bù wèi bú huì bāng zhù tā pá xíng
（　）4.蛇的哪一个部位不会帮助它爬行？

　　lín piàn　　 shé pí　　 shé tou
　　①鳞片　②蛇皮　③舌头

32 低飞的蜻蜓带来雨

知识宝库

你见过蜻蜓吗？四片透明的薄翅膀、一对凸起的大眼睛，还有长长的尾巴，它们可是雨神的信使呢！

平时蜻蜓到处乱飞，不仔细找还看不到它们；有时候，也会发现它们成群结队，飞得低低的，不久后，通常都会下起一场雨。

这是因为蜻蜓的翅膀很薄，只要一沾上水汽，重量稍一增加，它们就飞不高了。在下雨

前，空气中的水汽会增加得很快，所以蜻蜓的翅膀一下子就沾湿了，只能很吃力地在低空慢飞，有的

甚至累得停在花草树木上休息。

其实不仅蜻蜓会这样，只要是拥有薄薄翅膀的昆虫，在下雨之前都会飞得很低。

如果你有机会到郊外去，发现蜻蜓一类的昆虫飞得低低的，就知道快要下雨了，那就赶快去躲雨吧！

 想一想，选一选

（ ）1. 下列哪一项不是蜻蜓的特征？

①凸凸的眼睛 ②长长的尾巴 ③大大的肚子

（ ）2. 为什么快要下雨时，蜻蜓飞不高？因为蜻蜓＿＿＿＿。

①翅膀一沾水汽就会变重 ②怕被雷打到

③准备去躲雨

（ ）3. 下雨之前，空气中有什么东西会很快地增加？

①灰尘 ②水汽 ③香味儿

33 可爱的四季

kě ài de sì jì

童诗吟诵

dà dì yǒu sì gè hái zi
大地有四个孩子，

chūn tiān zuì měi lì
春天最美丽，

zǒng ài chuān zhe bīn fēn huā huā qún
总爱穿着缤纷花花裙，

xī yǐn zhòng rén de zhù yì
吸引众人的注意。

xià tiān yǒu huó lì
夏天有活力，

zǒng ài shēn shǒu rè qíng yōng bào nǐ
总爱伸手热情拥抱你，

wèi nǐ jiā yóu bìng dǎ qì
为你加油并打气。

qiū tiān zhuāng gū pì
秋天装孤僻，

zǒng ài bō bo luò yè chuī chui fēng
总爱拨拨落叶吹吹风，

liǎn sè fàn huáng rě rén xī
脸色泛黄惹人惜。

dōng tiān nào pí qi
冬天闹脾气，

zǒng ài pō rén lěng shuǐ tǔ hán yì
总爱泼人冷水吐寒意，

rén men suǒ xìng guān mén bì chuāng dōu bù lǐ
人们索性关门闭窗都不理。

suī rán sì jì gè xìng dōu bù yī
虽然四季个性都不一，

yǒu de tǎo xǐ yǒu de táo qì
有的讨喜有的淘气，

què yě péi bàn dà dì bù gū jì
却也陪伴大地不孤寂。

想一想，选一选

^{dà dì de sì gè hái zi li} ^{shéi de pí qi zuì huài}
（　　）1.大地的四个孩子里，谁的脾气最坏？
^{chūn} ^{xià} ^{qiū} ^{dōng}
①春　②夏　③秋　④冬

^{měi lì de chūn tiān yòng shén me fāng shì xī yǐn dà jiā de zhù yì}
（　　）2.美丽的春天用 什么方式吸引大家的注意？
^{bō bo luò yè} ^{chuān zhe bīn fēn huā huā qún} ^{rè qíng yōng bào dà jiā}
①拨拨落叶　②穿着缤纷花花裙　③热情拥抱大家

^{sì gè hái zi gè xìng bù tóng ràng dà dì}
（　　）3.四个孩子个性不同，让大地_____。
^{hěn dān xīn} ^{bù gū jì} ^{hěn tóu tòng}
①很担心　②不孤寂　③很头痛

 语文动动脑

^{qǐng zài kuò hào zhōng tián rù shì dàng de cí}
◎请在括号中填入适当的词。

^{měi lì} ^{kāi lǎng} ^{kě lián} ^{gū dú} ^{huó po}
美丽　开朗　可怜　孤独　活泼

^{de xiǎo huáng gǒu yí jiàn dào wǒ jiù yáo tóu bǎi wěi}
1.（　　　）的小黄狗一见到我就摇头摆尾。

^{mèi mei de gè xìng hěn} ^{néng hěn kuài jiāo dào péng you}
2.妹妹的个性很（　　　），能 很快交到朋友。

^{tā bù xiǎo xīn bèi chē zhuàng le zhēn shi}
3.他不小心被车 撞了，真是（　　　）！

^{chūn tiān lái le huā yuán li kāi mǎn le de huā}
4.春天来了，花园里开满了（　　　）的花。

34 灯谜的由来
dēng mí de yóu lái

知识宝库

宋朝有位姓胡的财主，为人很势利。过年之前，李才、王少来胡家借钱。胡财主见李才穿得光鲜亮丽，便爽快地借给他；见王少一身粗衣，就把他赶出门了。

没多久，元宵节到了，人人都提着灯笼，王少也提了个灯笼来到胡财主门前。他的灯笼又大又亮，最特别的是上面有一首诗，引来很多人围观。诗是这样写的："头尖身细白如银，

论秤没有半毫分，眼睛长到屁股上，光认衣裳不认人。"

这可把胡财主气得哇哇叫："臭小子，你竟然骂我！"王少

^{xiào xī xī de shuō} ^{lǎo ye} ^{nǐ cāi cuò le} ^{dá àn shì} ^{zhēn}
笑嘻嘻地说："老爷，你猜错了，答案是'针'！"

^{dá àn yǒu lǐ yǒu jù} ^{hú cái zhu zhǐ hǎo rèn píng wáng shǎo cháo fěng}
答案有理有据，胡财主只好任凭王少嘲讽。

^{cóng cǐ yǐ hòu} ^{rén men fēn fēn zài dēng long shang xiě mí yǔ} ^{gōng}
从此以后，人们纷纷在灯笼上写谜语，供

^{shǎng dēng de rén cāi mí wán lè}
赏灯的人猜谜玩乐。

 想一想，选一选

^{hú cái zhu yī jù shén me tiáo jiàn jiè qián gěi rén}
（　）1.胡财主依据什么条件借钱给人？

^{shēn cái pàng shòu} ^{wài biǎo měi chǒu} ^{yī fu hǎo huài}
　　①身材胖瘦　②外表美丑　③衣服好坏

^{wáng shǎo bǎ mí yǔ xiě zài nǎ li}
（　）2.王少把谜语写在哪里？

^{yī fu shang} ^{dēng long shang} ^{hú cái zhu jiā de dà mén shang}
　　①衣服上　②灯笼上　③胡财主家的大门上

 趣味猜谜

^{zhè li yǒu sān gè mí yǔ} ^{cāi cai kàn mí dǐ shì shén me}
◎这里有三个谜语，猜猜看谜底是什么？

^{dōng yí piàn} ^{xī yí piàn} ^{dào lǎo bù xiāng jiàn}
1.东一片，西一片，到老不相见。

^{cāi yì zhǒng rén tǐ qì guān}
（猜一种人体器官）

^{qiān tiáo xiàn} ^{wàn tiáo xiàn} ^{luò zài shuǐ li kàn bú jiàn}
2.千条线，万条线，落在水里看不见。

^{cāi yì zhǒng zì rán xiàn xiàng}
（猜一种自然现象）

35 机智问答保王国

童话寓言

有一个大国的国王总是对邻近的小国不怀好意，总是想找借口去攻打小国，以此扩张自己的领土。有一天，大国国王对那些小国的国王说："如果你们答不出我提的问题，就说明你们是愚笨的，便没有资格当国王！"

这次，他出了一道难题给东边小国的国王："我有两匹马，一匹是母马，一匹是小马，高矮胖瘦都一样。要如何分辨出母马和小马？"

那小国的国王想了一下，回答道："把这两匹马带到马槽，让它们一起吃草。母马一定会尽力用嘴将草往

xiǎo mǎ nà li tuī zhè yàng jiù kě yǐ fēn biàn chu lai le
小马那里推，这样就可以分辨出来了！"

zuì zhōng dōng bian xiǎo guó de guó wáng yòng zhì huì bǎo zhù le tā de
最终，东边小国的国王用智慧保住了他的

lǐng tǔ
领土。

 想一想，选一选

dōng bian xiǎo guó de guó wáng zěn me fēn biàn mǔ mǎ hé xiǎo mǎ
（　　）1.东边小国的国王怎么分辨母马和小马？

suí biàn luàn cāi   bǎ liǎng pǐ mǎ dài dào mǎ cáo   ràng tā men yì qǐ chī cǎo
①随便乱猜　②把两匹马带到马槽，让它们一起吃草

bú huì fēn biàn
③不会分辨

mǔ mǎ huì yòng zuǐ bǎ cǎo tuī dào nǎ biān
（　　）2.母马会用嘴把草推到哪边？

zì jǐ zhè biān   xiǎo mǎ nà biān   zì jǐ hé xiǎo mǎ zhōng jiān
①自己这边　②小马那边　③自己和小马中间

 错字纠察队

bǎ cuò zì quān chu lai   bìng zài kuò hào nèi xiě chu zhèng què de zì hé pīn yīn
◎把错字圈出来，并在括号内写出正确的字和拼音。

chéng jì bù hǎo   bìng bú dài biǎo zì jǐ jiù shì yù bèn de
1.成绩不好，并不代表自己就是寓笨的。（　　　）

dì di lǎo shi wèi zì jǐ de lǎn duò zhǎo jí kǒu
2.弟弟老是为自己的懒惰找籍口。（　　　）

zhè liǎng gè zì zhǎng de hǎo xiàng   zhēn nán fēn biàn
3.这两个字长得好像，真难分辩。（　　　）

ruò xiǎo de guó jiā hěn róng yì bèi qiáng guó gōng dǎ
4.弱小的国家很容易被强国功打。（　　　）

36 晏婴的谏言

名人故事

某年冬天，齐国已经下了三天的大雪，齐景公穿着轻暖的狐皮大衣，站在窗边欣赏雪景。他心想，若这雪能再多下几天，景色一定更迷人。

这时，晏婴走进来，景公笑着对他说："今年真是怪，连下了三天大雪，却也不觉得冷！"

晏婴看着景公身上穿的大衣，又看到他旁边那燃着熊熊火焰的火炉，说："真的不冷吗？"晏婴知道景公听不懂他的问话，便继续说道："我听说古时的贤君在吃饭时，总会想着是否有人挨饿；穿着大衣时，总会想到是否有人受冻；自

jǐ zài jiā xiǎng fú shí　　zǒng huì xiǎng dào wài tou shì fǒu yǒu rén shòu kǔ

己在家享福时，总会想到外头是否有人受苦。

yī wǒ kàn　　jīn rì de jūn zhǔ dōu bù zhī bǎi xìng de gǎn shòu le

依我看，今日的君主都不知百姓的感受了！"

jǐng gōng bèi yàn yīng de zhè fān huà shuō de miàn hóng ěr chì　　lì jí

景公被晏婴的这番话说得面红耳赤，立即

ān pái rén shǒu dǎ kāi guó kù lái jiù jì shòu dòng de bǎi xìng

安排人手打开国库来救济受冻的百姓。

想一想，选一选

（　）1. wèi shén me xià le sān tiān de dà xuě　　qí jǐng gōng què bù jué de lěng

为什么下了三天的大雪，齐景公却不觉得冷？

yīn wei qí jǐng gōng

因为齐景公_____。

shēn tǐ qiáng jiàn　　chuān zhe dà yī yòu kǎo zhe huǒ

①身体强健　②穿着大衣又烤着火

nà nián de xuě bǐ jiào tè bié

③那年的雪比较特别

（　）2. gǔ shí hou de xián jūn shí shí dōu xiǎng zhe shén me

古时候的贤君时时都想着什么？

bǎi xìng guò de hǎo bù hǎo　　děng yí xià yào qù nǎ li wán er

①百姓过得好不好　②等一下要去哪里玩儿

xià yí cān yào chī shén me

③下一餐要吃什么

（　）3. cóng zhè zé gù shi zhōng　　wǒ men kě yǐ kàn chu qí jǐng gōng shì yí wèi shén me

从这则故事中，我们可以看出齐景公是一位什么

yàng de guó jūn

样的国君？

wèi bǎi xìng zhuó xiǎng　　zhǐ gù zhe zì jǐ wán lè

①为百姓着想　②只顾着自己玩乐

dǒng de rú hé jiàn shè guó jiā

③懂得如何建设国家

37 大鱼和小鱼

童话寓言

广阔的海洋是大鱼的世界，小鱼只有被欺负的份儿。大鱼总是抢小鱼的食物，强占小鱼玩耍的地方，还常常嘲笑小鱼身体瘦小、一点儿力量也没有。然而，被欺负的小鱼只能忍气吞声。

有一天，大鱼又来捉弄小鱼，没想到突然"唰"的一声，大鱼和小鱼都被渔网包围了。不论大鱼还是小鱼，一时都被吓得惊慌失措，喊着："哎呀，大事不好了！"

小鱼因为身体瘦小的关系，在渔网里竟然还能自由活动，所以很快就从网缝中

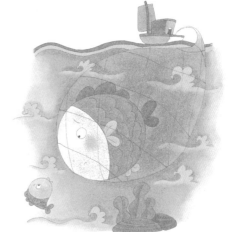

táo zǒu le　　　dà yú què qiǎ zài yú wǎng li　　　dòng tan bu de
逃走了；大鱼却卡在渔网里，动弹不得。

jiāo ào de dà yú suī rán shēn qiáng tǐ zhuàng　　què yě yīn cǐ diū le
骄傲的大鱼虽然身强体壮，却也因此丢了

xìng mìng
性命。

想一想，选一选

dà yú shì zěn yàng duì dài xiǎo yú de
（　　）1.大鱼是怎样对待小鱼的？

　　bāng xiǎo yú zhǎo shí wù　　　bǎo hù xiǎo yú　　　qī fu xiǎo yú
　　①帮小鱼找食物　②保护小鱼　③欺负小鱼

dà yú wèi shén me wú fǎ cóng yú wǎng zhōng táo tuō ne
（　　）2.大鱼为什么无法从渔网中逃脱呢？

　　shēn tǐ bǐ yú wǎng de dòng hái dà　　tài tān xīn　　bǐ cǐ hù bù xiāng ràng
　　①身体比渔网的洞还大　②太贪心　③彼此互不相让

语文动动脑

qǐng jié hé zì yì zǔ hé chu xīn zì　　zài yòng zhè ge zì zǔ cí
◎请结合字义组合出新字，再用这个字组词。

lì　mù　měi　méi　méi huā
例：木＋每＝梅 → 梅花

qí　　qiàn
1. 其 + 欠 = （　　　　）→ （　　　　　　　　）

hēi　　tǔ
2. 黑 + 土 = （　　　　）→ （　　　　　　　　）

gōng　　dān
3. 弓 + 单 = （　　　　）→ （　　　　　　　　）

mǎ　　qiáo
4. 马 + 乔 = （　　　　）→ （　　　　　　　　）

38 狐狸与"酸"葡萄

童话寓言

狐狸发现了一棵葡萄树，树上结满了一串串葡萄，看起来香甜可口。狐狸望着葡萄，忍不住用舌头舔嘴唇，心想："哇，肯定特别好吃吧！"

于是狐狸伸直后腿，伸长前腿，努力地去摘树上的葡萄。可即便伸得再直，它离葡萄始终有一段距离。接着，狐狸换了一个方法——跳起来摘！只是一连跳了好几下，它仍碰不到葡萄。

松鼠和小鸟看到狐狸滑稽的动作，交头接耳，在一旁偷笑。

狐狸发现自己摘葡萄的蠢样子被别人看在

眼里，可自己偏偏连半颗葡萄都没吃到，爱面子的它便在树下假装观察葡萄，然后故意说：

"依我看，这些葡萄还很酸，还不能吃呢！"

松鼠和小鸟听了之后，忍不住捧腹大笑。

想一想，选一选

( ) 1.狐狸最初看到葡萄时，觉得葡萄_____。

①香甜可口 ②又小又酸 ③还没成熟

( ) 2.狐狸没用到以下哪种方法摘葡萄？

①伸长前脚去摘 ②跳起来摘 ③架梯子

小小文学家

◎连连看，组成一个完整的句子。

1.树上的葡萄	①悦耳动听
2.钢琴的琴声	②香甜可口
3.弟弟的作文	③芬芳美丽
4.春天的花朵	④通顺有趣

39 什么尖尖
shén me jiān jiān

童诗吟诵

shén me jiān jiān jiān shang tiān
什么尖尖尖上天？

shén me jiān jiān zài shuǐ biān
什么尖尖在水边？

shén me jiān jiān jiē shang mài
什么尖尖街上卖？

shén me jiān jiān gū niang qián
什么尖尖姑娘前？

bǎo tǎ jiān jiān jiān shang tiān
宝塔尖尖尖上天，

líng jiao jiān jiān zài shuǐ biān
菱角尖尖在水边，

zòng zi jiān jiān jiē shang mài
粽子尖尖街上卖，

féng zhēn jiān jiān gū niang qián
缝针尖尖姑娘前。

shén me yuán yuán yuán shang tiān
什么圆圆圆上天？

shén me yuán yuán zài shuǐ biān
什么圆圆在水边？

shén me yuán yuán jiē shang mài
什么圆圆街上卖？

shén me yuán yuán gū niang qián
什么圆圆姑娘前？

tài yang yuán yuán yuán shang tiān
太阳圆圆圆上天。

hé yè yuán yuán zài shuǐ biān
荷叶圆圆在水边。

shāo bing yuán yuán jiē shang mài
烧饼圆圆街上卖。

jìng zi yuán yuán gū niang qián
镜子圆圆姑娘前。

想一想，选一选

( ) 1. nǎ yí gè xuǎn xiàng li de wù pǐn quán dōu shì jiān jiān de
哪一个选项里的物品全都是尖尖的？

　　① bǎo tǎ tài yang 宝塔、太阳　② líng jiao zòng zi 菱角、粽子　③ féng zhēn jìng zi 缝针、镜子

( ) 2. nǎ xiē wù pǐn huì fàng zài gū niang qián gōng tā men shǐ yòng
哪些物品会放在姑娘前，供她们使用？

　　① bǎo tǎ féng zhēn 宝塔、缝针　② tài yang jìng zi 太阳、镜子　③ féng zhēn jìng zi 缝针、镜子

( ) 3. nǎ xiē dōng xi huì chū xiàn zài shuǐ biān
哪些东西会出现在水边？

　　① bǎo tǎ zòng zi 宝塔、粽子　② hé yè líng jiao 荷叶、菱角　③ jìng zi shāo bing 镜子、烧饼

 自然观察家

◎ nǎ xiē dōng xi shì yuán de nǎ xiē shì jiān de nǎ xiē shì fāng de lián yì lián
哪些东西是圆的，哪些是尖的，哪些是方的？连一连。

1. qiān bǐ 铅笔	① yuán de 圆的
2. lán qiú 篮球	
3. jú zi 橘子	② jiān de 尖的
4. dīng zi 钉子	
5. fēng zheng 风筝	③ fāng de 方的
6. chuáng pù 床铺	

40 人为什么会做梦

知识宝库

一般人都做过梦，有些人的梦甚至像连续剧一样精彩，一个接着一个。你知道吗？这些梦都是在快睡醒时产生的。

处于深度睡眠时，外界的事物很难吵醒你，所以不会做梦；但当你快睡醒的时候，外界的声音可以传进你的大脑，使你的大脑继续活动，因此梦就产生了。除了声音之外，身体不适、心情不好或其他生理现象，也会刺激大脑，让你做出许多奇怪的梦来。

一个身体健康的人，往往躺下就呼呼大睡，很少做梦。所以，经常做梦的人就要注意了！因为长

cǐ yǐ wǎng   dà nǎo dé bú dào chōng fèn de xiū xi   shuì xǐng le fǎn ér
此以往，大脑得不到充分的休息，睡醒了反而

jué de gèng lèi   wǒ men yào bǎo chí liáng hǎo de zuò xī xí guàn   wéi chí
觉得更累。我们要保持良好的作息习惯，维持

qīng sōng yú kuài de xīn qíng   xiǎng shòu ān wěn de shuì mián
轻松愉快的心情，享受安稳的睡眠。

 想一想，选一选

（　）1. 做梦的时间通常都是在_____。
zuò mèng de shí jiān tōng cháng dōu shì zài

kuài shuì xǐng shí   shú shuì shí   gāng shuì zháo shí
①快睡醒时　②熟睡时　③刚睡着时

（　）2. 为什么快睡醒时会做梦？因为_____。
wèi shén me kuài shuì xǐng shí huì zuò mèng   yīn wei

dà nǎo xiū xi gòu le   kě yǐ gōng zuò le   nà shí shuì de zuì chén
①大脑休息够了，可以工作了　②那时睡得最沉

wài jiè shēng yīn kě yǐ chuán dào dà nǎo   cì jī dà nǎo huó dòng
③外界声音可以传到大脑，刺激大脑活动

语文动动脑

quān chu cuò zì   bìng zài kuò hào nèi xiě chu zhèng què de zì
◎圈出错字，并在括号内写出正确的字。

mǎ ma xǐ huan kàn lián xù jù
1. 妈妈喜欢看连续据。（　　）

jiàn kāng de rén hěn shǎo zuò mèng
2. 建康的人很少做梦。（　　）

nǐ de nǎo dài dào dǐ zhuāng le xiē shén me dōng xi ya
3. 你的脑带到底装了些什么东西呀？（　　）

dì di zhǐ yào yí tǎng xia   jiù hū hū dà shuì
4. 弟弟只要一趟下，就呼呼大睡。（　　）

41 香
地方风情

旧时在民间，三步一小庙、五步一大庙，处处都可以见到庙宇。有庙的地方，就会飘出"香"（用香料制成的细条）味儿，一踏进庙门，香味儿更是浓郁扑鼻。不只是庙里，人们在祭祀祖先或清明扫墓的时候，也喜欢点香。

人们相信，向祖先和神明虔诚祭拜时，可以借着袅袅上升的烟，把愿望传达给祖先或神明，让他们听到自己心里的声音。换句话说，香是沟通人间与另一个世界的桥梁，而人们也借着香表达了对祖先与神明的尊敬与追思。

所以，你会看到很多

rén zài jì bài shí　　zǒng shì shǒu chí xiāng zhú　　yì liǎn qián chéng　tā men

人在祭拜时，总是手持香烛，一脸虔诚，他们

de yuàn wàng fǎng fú suí zhe xiàng shàng shēng de qīng yān　　dào dá xīn zhōng qī

的愿望仿佛随着向上升的轻烟，到达心中期

pàn de dì fang

盼的地方。

 想一想，选一选

jiù shí mín jiān chù chù kě jiàn miào yǔ　　ér yǒu miào jiù huì yǒu shén me

（　）1.旧时民间处处可见庙宇，而有庙就会有什么？

hé shang　　　mā zǔ　　　jì bài yòng de xiāng

①和尚　②妈祖　③祭拜用的香

xià liè nǎ yí xiàng bú shì xiāng dài biǎo de yì yì

（　）2.下列哪一项不是香代表的意义？

rén jiān yǔ lìng yí gè shì jiè de qiáo liáng　　rén duì shén míng yǔ zǔ xiān de

①人间与另一个世界的桥梁　②人对神明与祖先的

zūn jìng　　yǒu qiú bì yìng de bǎo zhèng

尊敬　③有求必应的保证

 语文动动脑

wèi xià liè cí yǔ zhǎo chu zhèng què de jiě shì　jiāng xù hào tián rù kuò hào li

◎为下列词语找出正确的解释，将序号填入括号里。

nóng yù　　　pū bí　　　qián chéng　　　zhuī sī

浓郁（　）扑鼻（　）虔诚（　）追思（　）

gōng jìng ér zhēn chéng　　　　xiāng qì nóng liè

①恭敬而真诚。　　②香气浓烈。

zhuī xiǎng huái niàn　　　　　qì wèi nóng liè　　zhí chòng bí kǒng

③追想怀念。　　④气味浓烈，直冲鼻孔。

42 爱啄树木的啄木鸟

自然百科

"叩叩，叩叩叩……"啄木鸟正对着树干猛啄，好像跟那棵树有仇似的，这到底是怎么一回事呢？

其实啄木鸟不是跟树木有仇，相反，它是在帮树木治病呢！靠着一张嘴四处敲敲打打，啄木鸟就可以知道害树木生病的小虫住在哪里。害虫通常会在树干里钻一个洞，而敲击空心和实心树干所发出的声音完全不同。因此，只要哪里的声音不对劲，就表明那里的树皮下一定有害虫。

对树木来说，树干里住着虫子，会影响健康；对啄木鸟来说，树干里的虫子却是美味

de shí wù suǒ yǐ yí dàn fā xiàn hài chóng zhuó mù niǎo jiù huì yòng tā
的食物！所以一旦发现害虫，啄木鸟就会用它

yòu jiān yòu cháng de zuǐ bǎ shù mù wā gè kǒng jiāng hài chóng diāo chu lai chī
又尖又长的嘴把树木挖个孔，将害虫叼出来吃

diào zhè yàng zuò jì tián bǎo le dù zi yě wǎn jiù le shù mù
掉。这样做，既填饱了肚子，也挽救了树木。

想一想，选一选

wèi shén me zhuó mù niǎo yòng zuǐ qiāo qiao jiù zhī dao shù gàn nǎ li yǒu chóng ne
（　）1.为什么啄木鸟用嘴敲敲，就知道树干哪里有虫呢？

yǒu chóng de shù gàn shēng yīn huì bù yí yàng chóng huì xià de pǎo chu lai
①有虫的树干声音会不一样　②虫会吓得跑出来

chóng huì chū lai kāi mén
③虫会出来开门

chóng duì zhuó mù niǎo lái shuō yǒu shén me yòng chù ne
（　）2.虫对啄木鸟来说，有什么用处呢？

shì tián bǎo dù zi de hǎo shí wù kě yǐ ná lai diào yú
①是填饱肚子的好食物　②可以拿来钓鱼

kě yǐ píng cǐ gēn shù shōu qǔ yī yào fèi
③可以凭此跟树收取医药费

自然观察家

dòng wù men gè píng běn shi tián bǎo dù zi xiǎng yì xiǎng tā men gè yǒu shén me běn shi ne
◎动物们各凭本事填饱肚子，想一想，它们各有什么本事呢？

zhuó mù niǎo xùn sù shēn chu cháng shé tou
1.啄木鸟　　　　　①迅速伸出长舌头

qīng wā qiāo jī shù gàn zhǎo hài chóng
2.青蛙　　　　　②敲击树干找害虫

zhī zhū jié wǎng bǔ chóng
3.蜘蛛　　　　　③结网捕虫

93

43 魔法相册
mó fǎ xiàng cè

童诗吟诵

小心地收藏在抽屉里的
xiǎo xīn de shōu cáng zài chōu ti li de

是拥有魔法的相册。
shì yōng yǒu mó fǎ de xiàng cè

将一刻也不停留的时光，
jiāng yí kè yě bù tíng liú de shí guāng

锁在这小小的相片里。
suǒ zài zhè xiǎo xiǎo de xiàng piàn li

瞧——
qiáo

五岁去郊外踏青时的蓝天，
wǔ suì qù jiāo wài tà qīng shí de lán tiān

正飘着白云；
zhèng piāo zhe bái yún

六岁生日时点燃的蜡烛，

正闪耀着光芒；

七岁刚学会骑脚踏车的那一刻，

全家人高兴地为我欢呼……

爸爸、妈妈、哥哥、

所有我亲爱的人们……

在那一张张充满魔法的相片里，

全都眯着眼，

微笑地说着"茄子"！

想一想，选一选

( ) 1. 相册的魔法是将什么东西锁在里头？

① 时光　② 食物　③ 金钱

( ) 2. 那些留在相片上的其实是_____。

① 音乐　② 回忆　③ 卡通

( ) 3. 相片里的人都说着"茄子"，表示他们_____。

① 很快乐地笑着　② 正在种菜　③ 准备做饭

44 放羊的孩子
fàng yáng de hái zi

童话寓言

xiǎo mù tóng měi tiān dōu yào bǎ yáng gǎn shang shān chī cǎo　　rì zi yì
小牧童每天都要把羊赶上山吃草，日子一

jiǔ　　jiù jué de hěn wú liáo　　yǒu yì tiān　　tā xiǎng dào le yí gè yóu
久，就觉得很无聊。有一天，他想到了一个游

xì
戏。

　　láng lái le　　láng lái le　　　xiǎo mù tóng chě zhe hóu long dà
　　"狼来了！狼来了！"小牧童扯着喉咙大

jiào　　zài shān jiǎo xià gōng zuò de dà ren men tīng dào le　　lián máng dài zhe
叫。在山脚下工作的大人们听到了，连忙带着

gùn bàng shàng shān dǎ láng　　dàn shàng le shān què bú jiàn láng de yǐng zi　　xiǎo
棍棒上山打狼，但上了山却不见狼的影子。小

mù tóng shuō tā kàn cuò le　　dà ren men zhǐ hǎo huí dào shān xià qù
牧童说他看错了，大人们只好回到山下去。

　　　　　　　　méi guò duō jiǔ　　xiǎo mù tóng
　　　　　　　没过多久，小牧童

yòu dà jiào　　　láng lái le　　láng lái
又大叫："狼来了！狼来

le　　　dà ren men cōng cōng gǎn shàng
了！"大人们匆匆赶上

shān qù dǎ láng　　zhè cì hái shi yí yàng
山去打狼，这次还是一样

méi kàn jiàn láng　　xiǎo mù tóng shuō tā yòu
没看见狼。小牧童说他又

kàn cuò le　　xiǎo mù tóng jué de zhè yàng
看错了。小牧童觉得这样

zhuō nòng dà ren yǒu qù jí le　　fǎn fǎn
捉弄大人有趣极了，反反

96

fù fù hǎn le hǎo jǐ cì
复复喊了好几次。

méi xiǎng dào hòu lái láng zhēn de chū xiàn le láng lái le zhēn de
没想到，后来狼真的出现了！"狼来了！真的

lái le zhè yí cì bù guǎn xiǎo mù tóng zài zěn me hǎn dà ren men
来了！"这一次，不管小牧童再怎么喊，大人们

dōu bù xiāng xìn tā le zuì hòu yáng bèi láng chī de yì zhī yě méi shèng
都不相信他了。最后，羊被狼吃得一只也没剩。

 想一想，选一选

xiǎo mù tóng dì yī cì qiú jiù shí zhēn de yǒu láng chū xiàn ma
（   ）1.小牧童第一次求救时，真的有狼出现吗？

yǒu yì zhī yǒu liǎng zhī yì zhī yě méi you
①有一只 ②有两只 ③一只也没有

xiǎo mù tóng de yáng zuì hòu zěn me yàng le
（   ）2.小牧童的羊最后怎么样了？

quán bèi láng chī le bèi dà ren men bǎo hù zhe pǎo diū le
①全被狼吃了 ②被大人们保护着 ③跑丢了

 语文动动脑

bǎ bù tóng lèi de cí yǔ quān chu lai lì gǒu jī mǎ yáng
◎把不同类的词语圈出来。例：狗 鸡 马 羊

dà ren xiǎo hái er lǎo rén gǒu
1.大人 小孩儿 老人 狗

hú dié xiǎo niǎo yú mì fēng
2.蝴蝶 小鸟 鱼 蜜蜂

lǜ dòu dòu yá huáng dòu hóng dòu
3.绿豆 豆芽 黄豆 红豆

xiàng pí hóng bǐ lán bǐ qiān bǐ
4.橡皮 红笔 蓝笔 铅笔

45 夸父逐日
kuā fù zhú rì

神话传说

很久很久以前，有一位巨人叫夸父，他身强体壮、力大无穷，除去了不少凶猛的野兽，被同伴们视为英雄。夸父也得意地认为，世界上没有自己做不到的事情。

有一天，火一般的阳光刺痛了每个人的皮肤。夸父便决定追捕天边的太阳，解除大家的痛苦。

夸父跑着跑着，跨过了无数高山与深谷，离太阳越来越近。但是他越靠近太阳，太阳的光和热就越让他头昏眼花，逼得他只能停下来喝水。即使喝干了大河与湖泊，夸父还是觉得

kǒu kě
口渴。

hái méi zhuī dào tài yang   kuā fù jiù zhī chí bú zhù le   tā dǎo
还没追到太阳，夸父就支持不住了，他倒

zài lù shang   yàn xia le zuì hòu yì kǒu qì   tā de shēn tǐ màn màn de
在路上，咽下了最后一口气。他的身体慢慢地

biàn chéng yí zuò gāo shān   shǒu zhàng zé huà wéi yí piàn táo shù lín
变成一座高山，手杖则化为一片桃树林。

 想一想，选一选

kuā fù wèi shén me bèi tóng bàn shì wéi yīng xióng   yīn wei tā
（　）1.夸父为什么被同伴视为英雄？因为他＿＿＿＿。

chú qu le bù shǎo xiōng měng de yě shòu   bà ba yě shì yīng xióng
①除去了不少凶猛的野兽 ②爸爸也是英雄

huì biǎo yǎn tè jì
③会表演特技

kuā fù zuì hòu zhuī dào tài yang le ma
（　）2.夸父最后追到太阳了吗？

zhuī dào le   méi zhuī dào
①追到了 ②没追到

 小小文学家

xiǎng yì xiǎng   xià liè zhè xiē zì rán jǐng guān   kě néng shì jù rén de nǎ xiē dōng xi
◎ 想一想，下列这些自然景观，可能是巨人的哪些东西？

dà cǎo dì   kuài zi
1. 大草地   ①筷子

gāo shān   yǐ zi
2. 高山   ②椅子

bǎi nián dà shù   chuáng pù
3. 百年大树   ③床铺

46 生日

shēng rì

童诗吟诵

tāng jiā tài tai guò shēng rì
汤家太太过生日，

jiā jiā wèi tā bài shòu máng
家家为她拜寿忙。

chē mǎn mén　　kè mǎn táng
车满门，客满堂，

chú zi ná dāo shā niú yáng
厨子拿刀杀牛羊。

yáng shuō dào　　　yáng máo nián nián jiǎn de duō　　wèi hé bù shā é
羊说道："羊毛年年剪得多，为何不杀鹅？"

é shuō dào　　　é dàn hǎo chī bù kě shā　　wèi hé bù shā yā
鹅说道："鹅蛋好吃不可杀，为何不杀鸭？"

yā shuō dào　　　bái xì yā róng hǎo zuò yī　　wèi hé bù shā jī
鸭说道："白细鸭绒好做衣，为何不杀鸡？"

jī shuō dào　　　wǔ gēng tiān míng bào shí jiān　　wèi hé bù shā gǒu
鸡说道："五更天明报时间，为何不杀狗？"

gǒu shuō dào　　　wǒ kān jiā mén tā wán shuǎ　　wèi hé bù shā niú
狗说道："我看家门他玩耍，为何不杀牛？"

niú shuō dào　　　wǒ gēng tián dì nǐ shōu zū　　wèi hé bù shā zhū
牛说道："我耕田地你收租，为何不杀猪？"

zhū shuō dào　　　jīn tiān dà jiā dōu kuài huo　　wèi hé zhǐ shā wǒ
猪说道："今天大家都快活，为何只杀我？"

想一想，选一选

(   ) 1. 每只动物都有长处，下列哪个说法是对的？

       ①羊会生蛋　②狗会报时　③牛会耕田

(   ) 2. 下列哪一种动物没有特别的长处？

       ①鸭　②鸡　③猪

3. 如果你是厨师，你要杀哪一只动物呢？为什么？

_____

小小文学家

◎照样子写短句。

我看家门他玩耍。

1. 我（   ）他（   ）。

2. 我（   ）你（   ）。

47 季札挂剑
jì zhá guà jiàn

名人故事

　　季札是春秋时期吴国的公子，生性谦让的他在父亲过世后，决定放弃王位，周游列国。

　　季札拜访徐国时，与徐国国君一见如故，他们很快就成为好朋友。季札有一把宝剑，徐君非常喜欢。其实季札很想把宝剑送给徐君，但顾及访问列国若没有佩戴宝剑会有失公子的身份，便没有行动。季札暗自决定，等任务完成后，再来徐国把宝剑送给徐君。

　　几年后，季札完成任务，绕道来到徐国，没想到徐君早已离开人世。悲痛的季札来到徐君墓

qián   qǔ xia bǎo jiàn guà zài shù shang biǎo dá āi sī   yě suàn wán chéng duō

前，取下宝剑挂在树上表达哀思，也算完成多

nián qián tā zài xīn zhōng xǔ xia de nuò yán

年前他在心中许下的诺言。

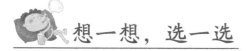

想一想，选一选

jì zhá wèi shén me huì lái dào xú guó

（　　）1.季札为什么会来到徐国？

tā yào zhōu yóu liè guó   bèi piàn qu de   qù bài fǎng lǎo péng you

①他要周游列国　②被骗去的　③去拜访老朋友

jì zhá wèi shén me méi you dāng chǎng jiāng bǎo jiàn sòng gěi xú jūn

（　　）2.季札为什么没有当场将宝剑送给徐君？

shě bu de gěi tā   jì zhá tǎo yàn xú jūn

①舍不得给他　②季札讨厌徐君

zhōu yóu liè guó shí   ruò bú pèi dài bǎo jiàn   jiāng shī gōng zǐ shēn fèn

③周游列国时，若不佩戴宝剑，将失公子身份

语文动动脑

qǐng xuǎn chu shì dàng de cí yǔ   jiāng xù hào tián xiě zài kuò hào li

◎请选出适当的词语，将序号填写在括号里。

1.他一旦下定（　　　　），谁都没办法阻止。
tā yí dàn xià dìng   shéi dōu méi bàn fǎ zǔ zhǐ

jué xīn   jiě jué   jiě shì
①决心　②解决　③解释

2.姐姐对我很好，（　　　　）陪我一起游戏。
jiě jie duì wǒ hěn hǎo   péi wǒ yì qǐ yóu xì

jīng guò   jīng cháng   jīng lì
①经过　②经常　③经历

103

48 徙木立信

历史故事

战国时代的秦孝公一心希望国家强盛，便重用商鞅来进行改革。

商鞅在进行改革之前，为了让秦国百姓了解秦孝公推行新制度的决心，想出了一个好办法。他在南门立了一根木头，贴了一张告示：谁能把这根木头扛到北门去，赏金五百两。

可大家都对这件好事表示怀疑，所以几天下来，始终没有人去尝试。于是商鞅又颁布第二道命令：谁能把这根木头扛到北门去，赏金一千两。

这次，有个人抱着试试看的心态做了这件事，果然得到了一千两赏金。

bǎi xìng men kàn dào le cháo tíng gǎi gé de jué xīn méi rén gǎn xiǎo
百姓们看到了朝廷改革的决心，没人敢小

qiáo xīn zhì dù   ér qín guó yě yīn cǐ gǎi gé chéng gōng chéng le qiáng dà
瞧新制度，而秦国也因此改革成功，成了强大

de guó jiā
的国家。

想一想，选一选

qín xiào gōng zhòng yòng shāng yāng de mù dì shì shén me
（ ）1.秦孝公重用商鞅的目的是什么？

xiǎng shǐ qín guó biàn qiáng   xiǎng zhuàn hěn duō qián   xiǎng cháng shēng bù lǎo
①想使秦国变强 ②想赚很多钱 ③想长生不老

gào shi shang shuō zhǐ yào zuò shén me shì   jiù kě yǐ dé dào shǎng jīn
（ ）2.告示上说只要做什么事，就可以得到赏金？

dǎ dǎo yì bǎi gè shì bīng   shè dào yì zhī lǎo yīng
①打倒一百个士兵 ②射到一只老鹰

bǎ mù tou cóng nán mén káng dào běi mén
③把木头从南门扛到北门

语文动动脑

bǎ cuò zì quān chu lai   bìng zài kòng gé nèi xiě chu zhèng què de zì
◎把错字圈出来，并在空格内写出正确的字。

xīn xué qī kāi shǐ xué xiào duō le yì xiē xīn zhì dù
1.新学期开始，学校多了一些新治度。（ ）

suī rán ān an zhī dao zì jǐ cuò le   dàn shì zhōng méi you gǎi jìn
2.虽然安安知道自己错了，但使终没有改进。（ ）

chéng jì kào qián de tóng xué   huì huò dé xué xiào bān fā de jiǎng zhuàng
3.成绩靠前的同学，会获得学校搬发的奖状。（ ）

ān an zǒng shì hěn cǎo shuài de zuò jué dìng
4.安安总是很草蟀地做决定。（ ）

49 自作聪明的毛驴

童话寓言

有一天，一个商人赶着他的毛驴去买盐。

回家的路上，毛驴身上驮着沉重的盐，走得又累又喘。在过一条小河时，毛驴不小心跌了一跤，再爬起来时，背上的盐因为遇水溶解而减轻了许多，毛驴高兴极了。

为了补回损失，商人只好再折回集市买更多的盐。当他们又开始渡河时，毛驴却故意跌倒，因为它知道这样做货物会减轻许多。

商人明白了毛驴的诡计，便又赶着毛驴回到集市，这一次他不买盐，而是买了一大袋棉花。到达小河边时，想偷懒的毛驴自然故技重施。

jié guǒ   mián huā yīn wei xī shuǐ zēng jiā le hěn duō zhòng liàng   máo
结果，棉花因为吸水增加了很多重量。毛

lú cōng míng fǎn bèi cōng míng wù   bèi huò wù yā de chà diǎn er zhàn bù qǐ
驴聪明反被聪明误，被货物压得差点儿站不起

lái le
来了。

 想一想，选一选

máo lú dì yī cì zài de huò wù shì shén me
（   ）1. 毛驴第一次载的货物是什么？

táng   yán   bái mǐ
①糖 ②盐 ③白米

yóu zhè ge gù shi kě zhī   máo lú de gè xìng shì
（   ）2. 由这个故事可知，毛驴的个性是_____。

zì yǐ wéi cōng míng yòu ài tōu lǎn   fēi cháng cōng míng
①自以为聪明又爱偷懒 ②非常聪明

qín láo yòu lǎo shi
③勤劳又老实

 小小文学家

zhào lì zi xiě duǎn jù
◎照例子写短句。

---

jí le
1. 高兴极了。① （   ） 极了。

jí le
② （   ） 极了。

chén zhòng de huò wù   de dàn gāo
2. 沉重的货物。① （   ） 的蛋糕。

de xié zi
② （   ） 的鞋子。

---

50 面红耳赤为哪般
miàn hóng ěr chì wèi nǎ bān

知识宝库

你有没有发现，吵架时，双方往往都会面
红耳赤？

这可不是健康的好气色！人在吵架的时
候，心情会很激动，精神跟着紧张起来，这些
变化对大脑来说，都是兴奋的刺激，会让人体
内的肾上腺素增加分泌。

肾上腺素增加的结果，是使人心跳加快、
毛细血管扩张，所以吵架的人就会面红耳赤，

甚至浑身发烫呢！

这种因愤怒而
引起的强烈内分泌
刺激，其实对身体的
伤害非常大。因此，
为了我们与朋友的友

谊，为了我们的健康，请学会调节情绪。

 想一想，选一选

（   ）1. 吵架的人通常都会怎么样？

①说不出话来 ②面红耳赤 ③脸色发白

（   ）2. 肾上腺素分泌增加的结果是＿＿＿。

①心跳加快、血管收缩 ②心跳变慢、血管扩张

③心跳加快、血管扩张

（   ）3. 吵架有哪些坏处？

①会伤害内脏 ②破坏友谊 ③以上都是

 语文动动脑

◎ "不"可以念"bù"或"bú"。以下加点的"不"该怎么念呢？

1. 吵架不（   ）但会伤害健康，也会伤害友谊。

2. 我不（   ）敢看恐怖电影。

3. 不（   ）仅是你，就连我也觉得那个人很不

（   ）讲理。

51 救命白米

童话寓言

老王的邻居是一个富有的员外，他每天都会看到有许多白米从员外家的水沟里流出来。原来，员外家淘米时非常随便，总会有许多米跟着倒掉的淘米水一起流出来。

生性节俭的老王好心提醒员外，劝道："每一粒米都得来不易呀，应该好好珍惜才是！"

没想到员外却说："我那么有钱，那点儿米不算什么！"

老王只好默默地收集这些流失的米，晒干后储存在自己家里。

不久，员外家发生大火，彻底破产了，富贵的员外成了饥饿的乞丐。这时，老王

110

biàn jiāng zhī qián chǔ cún de mǐ ná chu lai gěi yuán wài　yuán wài duì lǎo wáng
便将之前储存的米拿出来给员外。员外对老王

gǎn jī bù yǐ　kě lǎo wáng zhǐ shì dàn dàn de shuō　nǐ bié xiè wǒ
感激不已，可老王只是淡淡地说："你别谢我，

yào xiè jiù xiè nǐ zì jǐ ba
要谢就谢你自己吧！"

 想一想，选一选

yuán wài jiā táo mǐ hěn suí biàn　suǒ yǐ měi tiān
（　）1.员外家淘米很随便，所以每天＿＿＿。

dōu yǒu bái mǐ cóng shuǐ gōu li liú chu lai　dōu huì chī dào dài yǒu shí zǐ er
①都有白米从水沟里流出来②都会吃到带有石子儿

de fàn　yào xǐ hěn duō mǐ
的饭　③要洗很多米

jié jiǎn de lǎo wáng zěn me chǔ lǐ nà xiē liú shī de mǐ
（　）2.节俭的老王怎么处理那些流失的米？

shài gān hòu chǔ cún qi lai　shài gān hòu ná qu mài　yòng lái zhǔ fàn
①晒干后储存起来　②晒干后拿去卖　③用来煮饭

 语文动动脑

yòng gěi dìng de cí yǔ jiē lóng
◎用给定的词语接龙。

biàn dang	míng tiān	dāng chū	jī dòng	shī míng	dòng zuò
便当	明天	当初	激动	失明	动作

suí biàn
1.随便→（　　　　）→（　　　　）

liú shī
2.流失→（　　　　）→（　　　　）

gǎn jī
3.感激→（　　　　）→（　　　　）

52 甜甜甘蔗香

自然百科

有句俗语是这么说的："倒吃甘蔗，越吃越甜。"吃甘蔗的时候，靠近顶端的那一截儿，淡而无味；但是再吃下去，却越吃越甜。这句话形容做一件事，越做越顺手、越做越轻松。

为什么倒吃甘蔗会越吃越甜呢？

植物会制造养分供给自身成长，多余的部

分就会贮存起来，而且多半存在根部。甘蔗就是这样，所以根部特别甜。

甘蔗顶端的叶子是最容易流失水分的部分，所以甘蔗尾端就要保持足够的水分，免得

dǐng duān de yè zi quē shuǐ　　　yīn cǐ yuè kào jìn dǐng duān　　shuǐ fèn yuè duō
顶端的叶子缺水。因此越靠近顶端，水分越多，

tián wèi er yě jiù yuè dàn　　　ér yuè kào jìn gēn bù　　jiù yuè tián
甜味儿也就越淡；而越靠近根部，就越甜。

 想一想，选一选

gān zhe yào zěn me chī cái huì yuè chī yuè tián
（　　）1. 甘蔗要怎么吃才会越吃越甜？

zhàn táng chī　　　　dào zhe chī　　　　kǎo guo zài chī
①蘸糖吃　②倒着吃　③烤过再吃

dà bù fen zhí wù huì bǎ yǎng fèn zhù cún zài nǎ li
（　　）2. 大部分植物会把养分贮存在哪里？

gēn　　　jīng　　　yè
①根　②茎　③叶

gān zhe dǐng duān de shuǐ fèn bǐ jiào duō　　zhè shì wèi le　bì miǎn
（　　）3. 甘蔗顶端的水分比较多，这是为了避免＿＿＿＿。

yè zi quē shuǐ gān diào　　　táng fèn guò gāo　　　gān zhe bèi shài shāng
①叶子缺水干掉　②糖分过高　③甘蔗被晒伤

小小文学家

zhào lì zi xiě duǎn jù
◎ 照例子写短句。

xiǎo niǎo yuè　　　　　　　yuè
1. 小鸟越（　　　　）越（　　　　）。

gù shi yuè　　　　　　　yuè
2. 故事越（　　　　）越（　　　　）。

53 聪明的小白羊

cōng míng de xiǎo bái yáng
聪明的小白羊

童话寓言

一只饿狼从深山里出来，正在到处找食物充饥，忽然发现在离他不远的地方，有一只小白羊正背对着他吃草。

饿狼非常高兴，认为这次一定可以吃到一顿鲜嫩肥美的羊肉了。于是，他悄悄地走到小白羊的后面，准备扑过去。

小白羊察觉了饿狼的杀气，急中生智，连忙躺在地上打滚，并不停地大声喊叫着："救命啊！救命啊！"

野狼感到非常奇怪，上前问道："小白羊，你怎么啦？"

小白羊装成非常痛苦的样子，一边呻吟一边哀求野狼："狼大哥呀，请你救救我

bɑ 吧！wǒ dù zi hěn tòng 我肚子很痛，wǒ kuài yào sǐ le 我快要死了，qiú qiú 求求……qiú nǐ 求你

gǎn jǐn jiù 赶紧救……jiù wǒ a 救我啊！"

yě láng yòu wèn 野狼又问："nǐ wú yuán wú gù de zěn me huì dù zi téng ne 你无缘无故地怎么会肚子疼呢？"

xiǎo bái yáng huí dá 小白羊回答："zhè er de cǎo shì yǒu dú de 这儿的草是有毒的，wǒ què bù 我却不

xiǎo xīn bǎ tā chī le xià qù 小心把它吃了下去，xiàn zài dú xìng fā zuò le 现在毒性发作了，jiù mìng a 救命啊！"

yě láng xīn xiǎng 野狼心想："xiǎo bái yáng yīn wù shí dú cǎo ér zhòng dú 小白羊因误食毒草而中毒，

tǎng ruò wǒ bǎ tā chī diào 倘若我把他吃掉，qǐ bú shì yě huì gēn zhe zhòng dú ma 岂不是也会跟着中毒吗？"

dà yě láng yuè xiǎng yuè hài pà 大野狼越想越害怕，rèn wéi bù chī wéi miào 认为不吃为妙，jiù dào 就到

bié chù zhǎo shí wù qù le 别处找食物去了。

cōng míng de xiǎo bái yáng píng jiè jī zhì tuō lí le xiǎn jìng 聪明的小白羊凭借机智脱离了险境，bèng bèng 蹦蹦

tiào tiào de huí jiā le 跳跳地回家了。

 想一想，选一选

( ) 1. bèi è láng dīng shàng de xiǎo bái yáng jí zhōng shēng zhì 被饿狼盯上的小白羊急中生智，lián máng 连忙_____。

　　táo zǒu ①逃走　xiàng è láng zhuàng guo qu ②向饿狼撞过去　tǎng zài dì shang dǎ gǔn ③躺在地上打滚

( ) 2. zuì hòu xiǎo bái yáng zěn me yàng le 最后小白羊怎么样了？

　　huí jiā qu le ①回家去了　bèi cǎo dú sǐ ②被草毒死　bèi è láng chī diào ③被饿狼吃掉

54 寒食节和清明节

异国风情

寒食节和清明节，究竟有没有分别？

在冬至过后的第一百零五天，就是寒食节，刚好是在清明节的前一两天。不过在很久以前，寒食节又叫"古清明"。在这一天，家家户户不生火，只吃隔夜的冷饭凉菜，并在同一天上坟祭祖，所以寒食节和清明节，几乎没有什么分别。

后来，寒食节和清明节分开了。人们在寒食节这一天，只吃冷食；到了清明节，才会去郊外扫墓踏青。

寒食节是因春秋时期的晋文公纪念介子推而流传下来的。晋文公逃亡国外十九年，历经千辛万苦才回国。在他即位的时候，所有当年追随他的人都得到了封赏，只有介子推不愿和

116

bié ren qiǎng gōng láo biàn dài zhe tā de mǔ qin qiāo qiāo de yǐn jū zài
别人抢功劳，便带着他的母亲，悄悄地隐居在
mián shān
绵山。

jìn wén gōng zhī dao zhè jiàn shì hòu qīn zì dào mián shān qù zhǎo tā
晋文公知道这件事后，亲自到绵山去找他，
dàn shān shēn lín mì wú cóng zhǎo qǐ jìn wén gōng xiǎng chu yí gè bèn
但山深林密，无从找起。晋文公想出一个笨
bàn fǎ fàng huǒ shāo shān xiǎng bǎ jiè zǐ tuī bī chu lai dàn tā hái
办法——放火烧山，想把介子推逼出来。但他还
shi bù kěn chū lai zuò guān zuì hòu bèi huó huó shāo sǐ jiè zǐ tuī yīn
是不肯出来做官，最后被活活烧死。介子推因
dà huǒ ér sǐ jìn wén gōng wèi le jì niàn tā jiù xià lìng zài zhè yì
大火而死，晋文公为了纪念他，就下令在这一
tiān bù zhǔn bǎi xìng shēng huǒ zuò fàn hán shí jié yīn cǐ dé míng
天，不准百姓生火做饭，寒食节因此得名。

想一想，选一选

hán shí jié shì zài qīng míng jié de qián
(　　) 1. 寒食节是在清明节的前____。

wǔ tiān yì liǎng tiān sān tiān
①五天 ②一两天 ③三天

hán shí jié hé qīng míng jié fēn kāi hòu rén men zài hán shí jié zhè yì tiān
(　　) 2. 寒食节和清明节分开后，人们在寒食节这一天
zhī chī shén me
只吃什么？

měi shí lěng shí shú shí
①美食 ②冷食 ③熟食

jiè zǐ tuī dài zhe mǔ qin qiāo qiāo yǐn jū zài nǎ li
(　　) 3. 介子推带着母亲，悄悄隐居在哪里？

tài shān é méi shān mián shān
①泰山 ②峨嵋山 ③绵山

55 保护环境很重要

知识宝库

常听人家说"要环保","环保"究竟是什么呢?"环保"就是保护环境,让它不受污染与破坏,让地球上的一切生命都能好好生存,使地球维持适合人类居住的条件。

在"环保"当中,"绿化"是很重要的一环。树木可以防治水土流失,制造新鲜空气。纸张是用树木做的,然而我们总是毫无节制地浪费纸张,在一定程度上导致了滥砍乱伐现象的发生。于是渐渐地,大地失去了树木的保护,

所以常会发生泥石流、滑坡;地球失去了净化空气的好帮手,所以空气质量越来越糟。因此,我们不仅要将回收的废纸做成再

shēng zhǐ jiǎn shǎo duì shù mù de kǎn fá gèng yào hǎo hǎo zhēn xī měi yì
生纸，减少对树木的砍伐，更要好好珍惜每一

zhāng zhǐ
张纸。

　　dì qiú zhǐ yǒu yí gè　　wèi le dà jiā de xìng fú shēng huó　měi
　　地球只有一个，为了大家的幸福生活，每

ge rén dōu yào hǎo hǎo bǎo hù tā
个人都要好好保护它。

 想一想，选一选

　　　　　　huán bǎo　　jiù shì bǎo hù
（　）1.“环保”就是保护＿＿＿＿。

　　　　yuán huán　　huán jìng　　ěr huán
　　　　① 圆环　② 环境　③ 耳环

　　　　　　háo wú xiàn zhì de kǎn fá shù mù huì shǐ dì qiú zěn me yàng
（　）2.毫无限制地砍伐树木会使地球怎么样？

　　　zhǎng gèng duō shù　　fā shēng ní shí liú　　kōng qì biàn qīng xīn
　　　① 长 更多树　② 发生泥石流　③ 空气变清新

 知识搜查线

　　yǐ xià xíng wéi dāng zhōng　kě yǐ bǎo hù huán jìng de huà　　huì pò huài huán
◎ 以下行为当中，可以保护环境的画“○”；会破坏环

jìng de dǎ
境的打“×”。

　　lā jī bù fēn lèi
1. 垃圾不分类。（　　　）

　　duō zhòng shù mù
2. 多种树木。（　　　）

　　shǎo yòng yí cì xìng cān jù
3. 少用一次性餐具。（　　　）

56 高山流水遇知音

历史故事

春秋战国时期，晋国上大夫俞伯牙精通琴艺。

有一年，正值中秋节，俞伯牙搭船来到汉阳江口，船停泊在临江的一个高崖下面。月下的景色非常美丽，他便取出琴来弹奏。

一个名叫钟子期的樵夫走近船来，对俞伯牙说："这琴声真美！流露出对高山的颂扬。"俞伯牙接着奏出表达流水潺潺、微波荡漾的旋律。钟子期又说："这琴声真美！流露出对流水的赞叹。"俞伯牙认为钟子期是自己的知音，便与他结为知己，并约定明年中秋节再到这里相会。

第二年中秋，俞伯牙前来赴约，却不见挚友。他向一位老人打听钟子期的下落，这才知道钟子期在两个月前就因病去世了。

yú bó yá tīng dào zhè ge xiāo xi　　fēi cháng shāng xīn　　tā lái dào
俞伯牙听到这个消息，非常伤心。他来到

zhōng zǐ qī de fén qián　　tán zòu āi shāng de qǔ diào　　rán hòu bǎ qín shuāi
钟子期的坟前，弹奏哀伤的曲调，然后把琴摔

suì　　kū zhe shuō　　zhī yīn yǐ sǐ　　wǒ yǐ hòu bú zài tán qín le
碎，哭着说："知音已死，我以后不再弹琴了。"

 想一想，选一选

（　　）1.
yú bó yá shì shén me shí dài de rén
俞伯牙是什么时代的人？

chūn qiū zhàn guó　　qīng cháo mò nián　　mín guó chū nián
①春秋战国　②清朝末年　③民国初年

（　　）2.
yú bó yá zhī dao zhī yīn bìng shì　　shí fēn shāng xīn　　jiù
俞伯牙知道知音病逝，十分伤心，就_____。

tiào hé zì shā　　bǎ qín shuāi suì　　luàn dǎ rén
①跳河自杀　②把琴摔碎　③乱打人

 成语天地

qǐng jiāng qià dàng de zì tián rù kuò hào nèi
◎请将恰当的字填入括号内。

bái	qīng	zǐ	hóng	hēi	huáng	lù	lán	yín	chì
白	青	紫	红	黑	黄	绿	蓝	银	赤

píng bù　　　　　　　　　　yún
1.平步（　　）云

yán bó mìng
2.（　　）颜薄命

míng rì　　　　　　　　huā
3.明日（　　）花

wàn　　　　　　　　qiān hóng
4.万（　　）千红

qīng chū yú
5.青出于（　　）

huǒ shù　　　　　　huā
6.火树（　　）花

tóu xié lǎo
7.（　　）头偕老

diān dǎo　　　　　　　　bái
8.颠倒（　　）白

57 童诗两首

童诗吟诵

fàng fēng zheng de hái zi
放风筝的孩子

fàng fēng zheng de hái zi　　shǒu li qiān zhe yì gēn cháng cháng de xiàn
放风筝的孩子，手里牵着一根长长的线，

xiàn er yōu yōu　　shēn xiàng lán tiān
线儿悠悠，伸向蓝天。

xiàn de nà yì duān　　jì zhe hái zi de huān lè
线的那一端，系着孩子的欢乐。

hái zi qiān zhe tā　　fēi pǎo zài lù sè de cǎo yuán shang
孩子牵着它，飞跑在绿色的草原上。

hū rán yí zhèn fēng chuī lai　　fēng zheng duàn le xiàn
忽然一阵风吹来，风筝断了线。

hái zi què xiào zhe shuō　　wǒ yào bǎ tā sòng gěi lán tiān
孩子却笑着说："我要把它送给蓝天。"

wèn dà hǎi
问大海

dà hǎi dà hǎi wǒ wèn nǐ　　nǐ wèi shén me zhè yàng lán
大海大海我问你，你为什么这样蓝？

dà hǎi xiào zhe lái huí dá　　wǒ de huái li bào zhe tiān
大海笑着来回答：我的怀里抱着天。

dà hǎi dà hǎi wǒ wèn nǐ　　nǐ wèi shén me zhè yàng xián
大海大海我问你：你为什么这样咸？

dà hǎi xiào zhe lái huí dá　　yīn wei yú mín liú le hàn
大海笑着来回答：因为渔民流了汗。

 想一想，选一选

shén me yàng de tiān qì shì hé fàng fēng zheng
（　）1. 什么样的天气适合放风筝？

xià yǔ tiān　　dǎ léi shí　　guā fēng shí
　　①下雨天　②打雷时　③刮风时

xì xì cháng cháng de fēng zheng xiàn　　shēn xiàng
（　）2. 细细长长的风筝线，伸向＿＿＿。

lán tiān　　wū nèi　　dà hǎi li
　　①蓝天　②屋内　③大海里

dà hǎi shì shén me yán se de
（　）3. 大海是什么颜色的？

chéng sè　　lán sè　　hóng sè
　　①橙色　②蓝色　③红色

hǎi shuǐ shì shén me wèi dao de
（　）4. 海水是什么味道的？

tián de　　suān de　　xián de
　　①甜的　②酸的　③咸的

自然观察家

xià liè shì wù nǎ xiē zài tiān kōng zhōng nǎ xiē zài dà hǎi zhōng lián yì lián
◎下列事物，哪些在天空中，哪些在大海中？连一连。

fēi jī
1. 飞机

fēng zheng
2. 风筝

①天空

chuán
3. 船

jīng yú
4. 鲸鱼

bái yún
5. 白云

②大海

xiǎo niǎo
6. 小鸟

làng huā
7. 浪花

58 机智的晏子

历史故事

晏子，名婴，春秋时期的齐国人，在齐景公时期担任宰相。他的身材很矮小，却机智过人。有一次，晏子出使楚国，楚王想借机羞辱他，便在城门边开了一个小门，请他从那里进去。晏子对迎接他的人说："只有出使小国的人才会从小门进去；楚国是大国，我怎能从小门进去呢？"

楚王没有办法，只好打开城门迎接他进城。

晏子和楚王在殿上谈话的时候，有两个士兵牵着一个被捆绑的人走过殿门口。楚王故意

问士兵绑着什么人，士兵回答是齐国人，因为在楚国犯了偷窃罪才把他扣押起来。楚王便问晏子："齐国人大多是小偷吗？"

晏子不慌不忙地答道："我听说在淮河以南生长的橘子，如果移植到淮河以北，就会变成又酸又臭的枳子。齐国人在本国都是安分守己的好百姓，来到楚国后却变成了小偷，这只是因为所居住的地方不同罢了！"

从此，楚王再也不敢轻视晏子了。

 想一想，选一选

( ) 1.晏子出使楚国，楚国刚开始如何迎接？

①开大门 ②放礼炮 ③开小门

( ) 2.晏子的身材_____。

①很高 ②很矮 ③普通

( ) 3.晏子是哪一位君王的宰相？

①齐景公 ②唐太宗 ③清世宗

（　　）4.晏子说，在淮河以南 <ruby>生<rt>shēng</rt></ruby> 长的橘子，移植到淮

<ruby>河<rt>hé</rt></ruby> <ruby>以<rt>yǐ</rt></ruby> <ruby>北<rt>běi</rt></ruby> <ruby>后<rt>hòu</rt></ruby> <ruby>会<rt>huì</rt></ruby> <ruby>变<rt>biàn</rt></ruby> <ruby>成<rt>chéng</rt></ruby> 什么样？

① <ruby>香<rt>xiāng</rt></ruby> <ruby>甜<rt>tián</rt></ruby> <ruby>可<rt>kě</rt></ruby> <ruby>口<rt>kǒu</rt></ruby>　② <ruby>又<rt>yòu</rt></ruby> <ruby>酸<rt>suān</rt></ruby> <ruby>又<rt>yòu</rt></ruby> <ruby>臭<rt>chòu</rt></ruby>　③ <ruby>长<rt>zhǎng</rt></ruby> <ruby>不<rt>bù</rt></ruby> <ruby>出<rt>chū</rt></ruby> <ruby>果<rt>guǒ</rt></ruby> <ruby>实<rt>shí</rt></ruby>

 小小文学家

◎ <ruby>在<rt>zài</rt></ruby> <ruby>括<rt>kuò</rt></ruby> <ruby>号<rt>hào</rt></ruby> <ruby>里<rt>li</rt></ruby> <ruby>填<rt>tián</rt></ruby> <ruby>入<rt>rù</rt></ruby> <ruby>适<rt>shì</rt></ruby> <ruby>当<rt>dàng</rt></ruby> <ruby>的<rt>de</rt></ruby> <ruby>词<rt>cí</rt></ruby> <ruby>语<rt>yǔ</rt></ruby>。

<ruby>白<rt>bái</rt></ruby> <ruby>茫<rt>máng</rt></ruby> <ruby>茫<rt>máng</rt></ruby>　<ruby>顶<rt>dǐng</rt></ruby> <ruby>呱<rt>guā</rt></ruby> <ruby>呱<rt>guā</rt></ruby>　<ruby>慢<rt>màn</rt></ruby> <ruby>吞<rt>tūn</rt></ruby> <ruby>吞<rt>tūn</rt></ruby>　<ruby>绿<rt>lù</rt></ruby> <ruby>油<rt>yóu</rt></ruby> <ruby>油<rt>yóu</rt></ruby>

1. <ruby>他<rt>tā</rt></ruby> <ruby>走<rt>zǒu</rt></ruby> <ruby>路<rt>lù</rt></ruby>（　　　　　）<ruby>的<rt>de</rt></ruby>。

2. <ruby>他<rt>tā</rt></ruby> <ruby>的<rt>de</rt></ruby> <ruby>球<rt>qiú</rt></ruby> <ruby>技<rt>jì</rt></ruby>（　　　　　）。

3. <ruby>一<rt>yí</rt></ruby> <ruby>片<rt>piàn</rt></ruby>（　　　　　）<ruby>的<rt>de</rt></ruby> <ruby>稻<rt>dào</rt></ruby> <ruby>田<rt>tián</rt></ruby>。

4. <ruby>一<rt>yí</rt></ruby> <ruby>片<rt>piàn</rt></ruby>（　　　　　）<ruby>的<rt>de</rt></ruby> <ruby>大<rt>dà</rt></ruby> <ruby>雾<rt>wù</rt></ruby>。

图书在版编目（CIP）数据

每日一读（注音版，全4册）/ 陈启淦编著 . — 青岛：青岛出版社， 2018.6

ISBN 978-7-5552-7084-3

Ⅰ . ①每… Ⅱ . ①陈… Ⅲ . ①阅读课 – 小学 – 课外读物 Ⅳ . ① G624.233

中国版本图书馆 CIP 数据核字（2018）第 116561 号

书　　名	每日一读（注音版，全4册）
主　　编	陈启淦
出版发行	青岛出版社（青岛市海尔路182号，266061）
本社网址	http://www.qdpub.com
邮购电话	13335059110 0532–68068026
策　　划	谢 蔚
责任编辑	李 爽　步昕程　刘 强
特约校对	李玉海　卢永锋
封面设计	刘晓艳
封面插图	画儿晴天工作室
版式设计	单东昀
排　　版	青岛佳文文化传播有限公司
印　　刷	青岛乐喜力科技发展有限公司
出版日期	2018年9月第1版　2019年2月第2次印刷
开　　本	16开 (889mm × 1194mm)
印　　张	32
字　　数	640千
书　　号	ISBN 978-7-5552-7084-3
定　　价	80.00元 （全4册）

编校质量、盗版监督服务电话 4006532017　0532–68068638